Marieke Luiten

VLEUGEL SLAG

Uitgeverij Mozaïek, Zoetermeer

ISBN 978 90 239 9459 6
NUR 301

Ontwerp omslag b'IJ Barbara
Omslagbeeld Robert Jones / Arcangel Images
Lay-out en dtp Gerard de Groot
Auteursfoto Karakteristiek Fotografie

Voor Marieke de Jong
(16-09-11, Alblasserdam)
en
Marieke Aimée Barhama
(18-06-12, Idjwi, DR Congo).

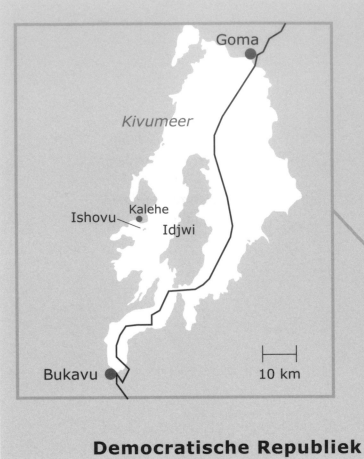

Goma

Kivumeer

Ishovu　Kalehe
Idjwi

Bukavu

10 km

**Democratische Republiek
Congo**

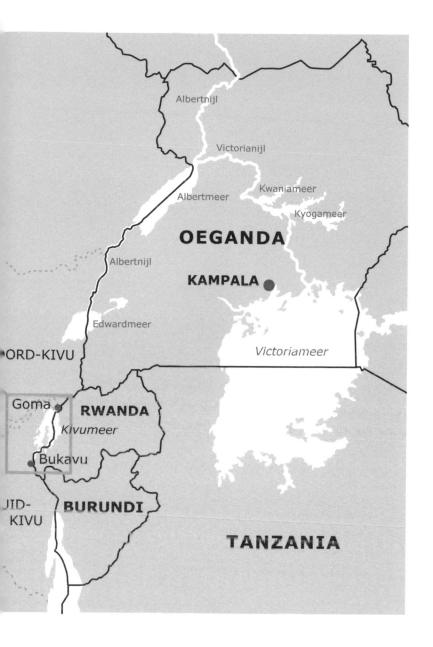

Inhoud

Congo: een land van dans en tranen

In januari 2011 vertrokken Andreas en ik naar DR Congo, een land zo groot als West-Europa, in het midden van Afrika. Andreas werkte voor de hulporganisatie ZOA, ik ging mee om me te oriënteren op het schrijven van een roman. We woonden in het oosten, in de provincie Noord-Kivu, in Goma, een stad van een miljoen inwoners. Op een weblog schreef ik stukjes. Over het land, over dreiging en onrust, over veroveringen en oprukkende rebellen, over het gewone leven dat ondanks alles doorging. Lezers begrepen vaak niet over welke gevechten ik schreef, welke belangen er speelden en waar de dreiging vandaan kwam, terwijl het leven in Congo elke dag door de oorlog wordt gekleurd.

De Congo-oorlogen

De Democratische Republiek Congo ligt in Centraal-Afrika. Het is een groot land met zo'n 75 miljoen inwoners. Tot 1960 werd het gekoloniseerd door België, de voertaal Frans herinnert daar nog altijd aan. In de jaren zestig werd het land onafhankelijk. Mobutu werd al snel president en noemde het land vanaf 1971 Zaïre.

Begin jaren negentig woedden er hevige burgeroorlogen in Rwanda en Burundi, de landen die aan het oosten van Congo grenzen. In Rwanda mondde dit uit in een genocide:

in een periode van ongeveer drie maanden werden op systematische wijze 800.000 Tutsi's door het Rwandese leger en Hutu-milities omgebracht. Zowel Hutu-strijders als Tutsi-vluchtelingen zorgden voor onrust in het oosten van Congo. Samen met talloze interne factoren leidde dit tot de eerste Congo-oorlog, waarin Mobutu werd verdreven en Zaïre de naam Democratische Republiek Congo kreeg.

Helaas was deze oorlog slechts de opmaat voor de tweede Congo-oorlog, die ook wel de Afrikaanse Wereldoorlog wordt genoemd. Er waren negen landen bij betrokken en vele milities. De strijd draaide om diverse belangen. De etnische strijd tussen Hutu's en Tutsi's is er één van. Een andere is de macht over bodemschatten, waaronder mineralen als coltan, dat gebruikt wordt in mobieltjes en andere elektronica.

Hoewel de oorlog officieel eindigde in 2003 woedt de strijd in het oosten van Congo nog altijd door. Verschillende militante strijdersgroepen bevechten zowel elkaar als het Congolese leger (FARDC)*. Er zijn er naar schatting zo'n vijftig, waaronder ook milities uit de buurlanden Oeganda, Rwanda en Burundi. Een ervan is de rebellengroep M23, die in november 2012 de stad Goma innam en een jaar later definitief verslagen werd. Door de aanwezigheid van rebellengroepen staat Oost-Congo onder zware druk. Vooral de provincies Zuid- en Noord-Kivu zijn onveilig. De VN zijn al jaren actief aanwezig. De vredesmacht (MONUSCO genoemd) is de grootste en duurste wereldwijd, maar is nog niet in staat werkelijke vrede te bewerkstelligen.

Een gebroken land

De gevolgen van de oorlog zijn enorm. De laagste schattin-

---

* Achter in deze roman is een lijst opgenomen van alle vreemde woorden en afkortingen, evenals een vertaling van de liedteksten.

gen komen uit op 5,4 miljoen doden sinds 1998. De oorlog is de op één na grootste in honderd jaar (na de Tweede Wereldoorlog). Er zijn duizenden mensen op de vlucht. Daarnaast is er armoede, worden er kindsoldaten gerekruteerd en is er veel seksueel geweld. Volgens VN-cijfers worden alleen al in de provincie Zuid-Kivu dagelijks veertig meisjes en vrouwen verkracht. Een derde van de gerapporteerde gevallen betreft kinderen.

Corruptie, kindsoldaten, seksueel geweld, onbestuurbaarheid, een overvloed aan gewapende militaire bewegingen, armoede. DR Congo is, in ontwikkelingstermen gesproken, een 'failed state', een mislukte staat. Volgens de UNDP's *Human Development Index* scoorde Congo een tijd lang het slechtst wereldwijd. Margot Wallström, speciaal gezant van de VN voor seksueel geweld in conflictgebieden, omschreef het land als 'the rape capital of the world', de verkrachtingshoofdstad van de wereld. Het laat iets zien van het uitzichtloze beeld dat men heeft van Congo.

De uitzichtloosheid verklaart de mediamoeheid, die er helaas voor zorgt dat het verhaal van Congo zo weinig aandacht krijgt. Marcia Luyten schreef in het tijdschrift *Inter nationale Samenwerking*, de voorloper van *OneWorld*: 'Desondanks blijkt een verhaal over extreem gewelddadige verkrachtingen bij Nederlandse bladen niet erg gewild. "We deden vorige maand al Afrika." En: "Dat verhaal over verkrachting kennen we nu wel."'

Helden van Congo

Maar Congo is méér dan het falen van zijn regering, de oorlog en de ellende. Ondanks alles is het ook een land van zang en dans, van moedige vrouwen en mannen, van geloof en wilskracht. Sommige Congolezen zijn ware helden.

Denis Mukwege (1955) is zo iemand. Deze arts heeft

duizenden vrouwen en meisjes geopereerd om hun kapotte vagina's te herstellen. Hij springt voor vrouwen in de bres en wordt daarom met de dood bedreigd. Na een moordaanslag moest hij vluchten voor zijn leven. Hij is in het Europees Parlement, in het Witte Huis en bij de VN in New York ontvangen en kreeg meerdere prijzen. Maar zolang de situatie in Congo niet is veranderd, zet hij de strijd voort. Zoals hij zijn er meer artsen die onder alle omstandigheden op hun post blijven. Dokter Paluku, die ook een rol speelt in deze roman, is zo'n dokter. Ook hij gaat door met zijn werk, betaald of onbetaald, in veiligheid of onveiligheid. Toen ik geëvacueerd was vanwege een aanval van de rebellengroep M23 op Goma, belde ik hem op. Het was gevaarlijk bij het ziekenhuis, er waren mortieraanslagen en het medisch personeel had de kliniek verlaten. Maar hij was bezig een meisje te helpen dat aan het bevallen was.

Andere helden zijn de vele moedige vrouwen met wilskracht en doorzettingsvermogen. Ondanks het lijden dat hun leven tekent, proberen ze elke keer de draad van hun leven weer op te pakken.

Dans en tranen

De periode dat we in Congo woonden, was niet altijd makkelijk. Naast de onveiligheid en onrust waarmee we moesten omgaan, waren er echter ook mooie dingen. De gastvrijheid, de humor, de expressieve muziek en dans, de levenslust van de mannen en vrouwen die ik sprak. De kracht van families. Veel mensen zijn actief betrokken bij een kerk (meer dan 90 procent van de bevolking noemt zich christen). Het viel me op dat Congolese vrouwen God niet als verantwoordelijk zien voor het leed dat hun kan overkomen, maar dat ze Hem wel betrekken bij hun dagelijkse leven. Ze bidden om geld, of om voedsel. Ook in de geloofsbeleving staat vooral het praktische centraal: omzien naar je naaste, je eten delen met je buren, je kleren uitlenen.

In deze roman wil ik de situatie in DR Congo onder de aandacht brengen. Het verhaal gaat over liefde, verraad en culturele druk in het roerige oosten van het land, verteld vanuit het perspectief van Sara, een jonge Congolese.

Februari 2014, Marieke Luiten

Meer weten?

Wij woonden in de Democratische Republiek Congo of Congo-Kinshasa, niet te verwarren met Congo-Brazzaville, een ander land in Afrika.

Het kan zijn dat dit boek onverhoopt bijdraagt aan bepaalde denkbeelden. Alsof er geen goede Congolese huwelijken zouden bestaan. Alsof slachtoffers van verkrachtingen per definitie vrouw zijn. Dat is niet de bedoeling. Er zijn wel degelijk goede huwelijken in Congo. En seksueel geweld treft ook mannen en jongens, al is het taboe vaak te groot om erover te praten.

David van Reybrouck zette met zijn bestseller *Congo. Een geschiedenis (2010)* het land meer op de kaart. Hij won daarmee de AKO-literatuurprijs. Het boek geeft een goede beschrijving van de geschiedenis en problematiek van Congo.

De tweeling Femke en Ilse van Velzen maakte films over het seksueel geweld in Congo en het functioneren van het rechtssysteem. Ze geven een goed beeld van de situatie. In de films komen zowel slachtoffers als kindsoldaten en daders aan het woord. Meer informatie over de documentaires is te vinden op www.ifproductions.nl.

Coca-Colarood

De knoop middenvoor zat nog goed vast. Met geoefende hand controleerde Sara de rest van haar felrode hoofddoek terwijl ze vanaf de houten steiger in de boot stapte. Windvlagen speelden met de twee smalle uiteinden van de stof, die als vlammende tongen steeds hoger wilden komen. Even vurig was haar besluit. Ze zou haar hoofddoek dragen zolang haar geheim veilig was. Ze zou het verdedigen en beschermen. Elke dag dat haar hoofd getooid was met het rood, was een overwinning. Met trots stalde ze haar bagage onder twee stoelen op de boot en keek of de kip die ze meegenomen had nog netjes op het nestje van cassavebladeren zat.

Op een aantal plastic stoelen lag een oranje hesje met riemen en touwtjes. Sara keek om zich heen en zag andere passagiers het gilet aantrekken. Op haar stoel lag er ook een. Moest ze dat over haar mooiste gebloemde blouse doen? Ze voelde een lach opwellen. Ze schoof het oranje geval opzij en ging zitten.

'Het is verplicht om je reddingsvest om te doen.'

Zonder op te kijken wist ze wie dit zei. Haar achterbuurvrouw met het smalle rattengezicht. De stem klonk even pinnig als beslist.

'Redden? Ik kan mezelf prima redden,' zei Sara terwijl ze zich omdraaide.

De motoren van de boot sloegen aan. De bootsjongen maande de passagiers het gangpad vrij te houden van plastic zakken, kippen en andere bagage. 'Achterin op de veranda kunt u *sucres* en bier kopen voor twee dollar per stuk.'

Sara hoorde de rat snuiven. 'Twee dollar!'

Ze verschoof ongemakkelijk op het krappe stoeltje. De bovenbenen van haar buurman voelden warm aan. Een groot gedeelte van zijn broek lag over haar *pagne*. Op heel het eiland Ishovu, waar ze vandaan kwam, was ze nooit zo'n dikke man tegengekomen.

De man stond met moeite op uit zijn stoel. Even later kwam hij terug met een Primusbiertje. Sara prees zichzelf gelukkig dat haar stoel niet aan het gangpad was, zodat haar buurman niet langs haar heen hoefde.

Ze keek naar de schuimkoppen op het meer en beeldde zich in dat ze een van de vrije *sambaza* was, en dat ze even snel bewoog als het kleine witte visje dat zich maar zelden laat vangen. Ze nam een hap zuurstof en dook naar de diepste diepten van het meer. Haar lichaam vermengde zich met alle kleuren blauw en groen die er maar waren. En daar, heel diep in het meer, ontdeed ze zich van haar onderkleding zoals een pas ontloken vlinder zijn overbodig geworden cocon van zich werpt. Met krachtige slagen zwom ze omhoog. Het opstuwende water gleed langs haar naakte lijf. Eenmaal boven dook ze weer naar beneden. En kwam weer omhoog. Met de ogen open dook ze opnieuw en nam alle groenblauwe tinten in zich op. Ze ontdekte dezelfde blauwtint als die van de Congolese vlag. Ze zag het lichtblauw van de baretten van VN-militairen. Ze ontwaarde de felgroene schubben van een hagedis die als regendruppels schitterden in het schijnsel van een petroleumlamp. Ze

keek naar de donkergroene schil van paprika's en avocado's. Grote en kleine vissen schoten weg. *Dit is het Kivumeer
op z'n mooist.*

Toen ze bovenkwam, sloeg ze met haar handen op het
water. Het geluid van de klappen zwol aan. Ze sloeg en
sloeg en ervoer een vrijheid die alle knellende banden los-
brak. Ze schepte water over haar hoofd en lachte naar elke
golf die over haar gezicht gleed. Haar borsten glinsterden
van de druppels.

'Dag water. Dag druppel.'

Toen dacht ze aan het ondergoed dat in het metersdiepe
meer verdwenen was. Haar pagne en blouse lagen op de
oever. Ze zwom naar de kant en liep naar de kleren die ze
meteen over haar natte lijf trok. Dat ondergoed, daarvoor
zou ze wel een oplossing vinden.

'Hé, kun jij al je plastic tassen en zooi niet gewoon onder je
eigen stoel kwijt?'

Sara schrok op uit haar gedachten. Tot nu toe had ze de
man nog niet horen praten. Zijn adem rook naar alcohol.
Ze keek naar de groene plastic berg onder de twee stoelen
die zijn kleine reistas bedolf. 'Zit er iets breekbaars in dan?'
vroeg ze.

'Daar gaat het niet om,' zei hij terwijl hij een schop gaf
tegen het groen. Er klonk gepiep en gefladder. Met een ruk
trok de man de kip uit haar tas en bevoelde hem alsof het
om een rijpe avocado ging. 'Goed in z'n vet,' mompelde
hij.

'Volgens mij eet u al genoeg vlees,' mompelde Sara, terwijl ze de kip uit zijn armen trok en weer terugzette op het
nestje van de *sombe*. Ze bukte zich en herschikte de mango's en avocado's. De rijpste legde ze bovenop. De rieten
tas met cassave en *patates douces* schoof ze zo veel mogelijk

naar achteren. De kleine reistas kwam nu weer in zicht. Een wit visje lag op het handvat. Ze keek omhoog naar de buurman, maar die staarde uit het raam. Met een snel gebaar duwde Sara de vis terug in de zak met sambaza die ze vanmorgen van haar vader had gekregen.

De boot maakte meer snelheid en voer langs eilanden die groen bebost waren. De houten vissersboten die ze inhaalden, hadden grote moeite om in de golven overeind te blijven. Sara keek uit naar haar vader in zijn vissterstenue. Maar hij was er niet bij. Nog voelde ze hoe die ochtend zijn ruige, eeltige handen op haar hoofd hadden gerust. '*Mungu akubariki.*' Hij had bij het afscheid gehuild, evenals haar moeder, die met de uiteinden van haar hoofddoek haar tranen had weggeveegd. Ze waren het hele stuk over het eiland meegelopen tot aan de steiger waar ze de kleine houten boot naar Kalehe moest nemen. Haar moeder had de meeste tassen in een pagne gewikkeld en op haar rug gebonden. Sara had tegengesputterd. 'Neem jij de kip maar,' had haar moeder enkel gezegd.

Drie uur hadden ze gelopen. Ze had soms achterom gekeken naar de afdrukken van haar slippers op het smalle zandpad. Hoeveel keer had ze die tocht naar het meer al gelopen met jerrycans? Haar eiland moest ze achterlaten. Het kon niet anders. Ze zou de reis met de boot alleen maken. Zonder de vertrouwelijke geur van *baba* met zijn stugge, bruine trui. Zonder de bedrijvige zorg van haar moeder. Zonder Heri ook. Die zou vanaf vandaag haar beurten overnemen om water te halen. Zonder Sultan. Ze had zijn uitgestoken hand genegeerd door overdreven haar hoofddoek te schikken. Ze dacht terug aan wat ze zei toen ze iedereen voor de laatste keer aankeek. 'Bid voor mij. Dat God mij moge zegenen met een goede aankomst in Goma.' Toen had ze zich vermand en was in het bootje gestapt.

Sara voelde aan haar borst. De schaafwond prikte. 'Het is maar een klein ongelukje.' Ze hoorde nog de stem van de brommerrijder in Kalehe. Nadat ze met de houten boot waren aangemeerd, had ze naar een groepje van drie jongens geroepen. Met de brommerrijder die het snelst bij haar was, had ze onderhandeld over de prijs. Onderweg had hij een kuil over het hoofd gezien waardoor ze waren gevallen. Ze was overeind gekomen en had de mango's bij elkaar geraapt die weggerold waren uit een plastic tas. 'Je krijgt mooi je geld niet!' had ze geroepen. Toen was ze weggelopen, met de vijfhonderd Congolese francs nog in handen. De jongen reed haar achterna en vroeg om zijn geld. Maar ze negeerde hem en keek of de witte boot naar Goma al bij de steiger lag aangemeerd.

'Is die kip soms van jou? Ben je vergeten haar poten bij elkaar te binden?' Het was de schelle stem van de rat. Sara keek onder haar stoel en zag een leeg nestje. De kip was verdwenen.

Zoekend keek ze om zich heen. Haar achterbuurvrouw was ook weg. Waar was ze? Sara stond op en vroeg aan haar buurman of ze erlangs mocht. Met een grom kwam hij omhoog en liet haar passeren. Toen ze in het gangpad stond, zag ze achter in de boot de rat. Ze had de poten van de kip vast. Het beest hing ondersteboven. De vrouw grijnsde. 'Heb je nooit gehoord dat je ze bij elkaar moet binden?' Ze gaf een ruk aan de poten en slingerde de kip heen en weer.

'Zet haar terug op de grond!'

'Nee.'

'Ik zég, zet haar terug!'

De vrouw keek uitdagend. 'Alleen als jij een touwtje haalt.'

Door een rukwind helde de boot naar één kant, waardoor

een zak cassave tegen Sara aanviel. Ze bukte zich en sjorde de zak opzij.

'Ik beslis of ik die poten vastbind ja of nee.'

De rat sloop naar voren. 'O ja?'

Sara rechtte haar rug. 'Geef die kip hier!'

'Alleen als jij een touwtje haalt.' Ze slingerde de kip, die piepend protesteerde, harder heen en weer. Sara probeerde het beest te pakken. De vrouw gaf een schreeuw. De bootsjongen kwam naar hen toe lopen en rukte de kip uit de handen van de vrouw en gaf haar aan Sara. 'En nu wegwezen hier,' zei hij terwijl hij het gangpad vrijmaakte. 'En zorg dat die poten vastgebonden zijn,' riep hij naar Sara over zijn schouder.

Even later nam ze de kip op schoot. Ze was vastbesloten de kip haar vrijheid niet te ontnemen. Het touwtje waarmee haar vader de kip vanmorgen had vastgemaakt, had ze niet voor niets losgemaakt en onopvallend in haar tas gestopt.

Een touw klapperde in de wind. De lichte grijstinten van de lucht liepen over in donkere strepen aan de horizon. In de muffe ruimte aan boord had zurig zweet zich vermengd met benzinedamp en de geur van vis. Sara keek naar de groene heuvels op het eiland Idjwi, waar maar geen eind aan leek te komen. Als ze goed keek, zag ze heel in de verte het open water liggen. Nog een uur varen en ze zouden in Goma aankomen. Wat voor stad zou het zijn? Prince had gezegd dat er veel aardappels te koop waren. Ook waren er meer soorten vis dan op de zondagse markt in Kalehe.

Haar broer had het goedgevonden dat ze bij hem in huis trok, op voorwaarde dat ze zou meehelpen in het huishouden. Ze wist precies hoe ze het zou aanpakken. Ze zou zo snel mogelijk een baantje zoeken om geld te verdienen voor het eerste collegejaar aan de *Université de Goma*. Tussendoor zou ze meehelpen met koken, dweilen en boodschappen doen om Espérance tevreden te stellen. Vandaag was het zover. Prince zou haar opwachten in de haven van Kituku.

'Ik heb nog nooit zo veel pagnes bij elkaar gezien!' had hij enthousiast verteld toen hij voor het eerst Goma had bezocht. Sara zag allerlei kleurige stoffen voor zich en koos in gedachten al een mooie uit. Paars moest het zijn. Nee, rood. Zo fel als het Coca-Colarood van een sucre. Ze zou haar haren laten vlechten en van iemand naaldhakken lenen. Ze zou met haar borst vooruit lopen en laten zien dat ze klaar was voor Goma. De stad met ongekende mogelijkheden.

Ze zou nooit meer uren met jerrycans hoeven te lopen om water te halen bij het meer. Vaak was de dop kwijt en moest ze nog voorzichtiger balanceren met de twintig liter op haar hoofd. Even dacht ze aan haar broertje. Nee, ze hoefde geen medelijden met hem te hebben. Op zijn leeftijd kon hij prima een volle jerrycan van het meer naar huis dragen. Ze wist dat er in Goma zelfs huizen waren met een kraan. Zou Prince in zo'n huis wonen, net als David? In Bukavu, boven zijn apotheek, had haar oudste broer immers stromend water? Ze keek opzij toen haar buurman zich overeind hees en naar achteren liep. Natuurlijk, een nieuw biertje.

De boot voer langs het laatste stuk groen. Voor hen lag het uitgestrekte Kivumeer. Sara was hier nog nooit met de houten boot geweest. Het schuim van de golven bereikte nu het raam waaruit ze keek. De boot schommelde en kwam weer overeind. De wind stak op en rukte aan de touwen die langs het raam zwiepten. Wie op deze boot wist dat ze van Ishovu kwam? Wie zou haar in het geval van een ongeluk kunnen identificeren en het nieuws overbrengen aan haar ouders? Ze huiverde en trok haar blouse strakker om zich heen. Aan boord werd het stiller. Het ene gesprek na het andere verstomde. De wind had op het open water vrij spel. De vlagen, die waren het gevaarlijkst. Dat wist Sara. Stevige wind was niet erg. Maar op plotselinge vlagen moest je berekend zijn.

Een kind huilde. Iemand maakte sussende geluiden. De motor gromde.

Doordat de boot zo deinde, drukten de bovenbenen van haar buurman soms tegen de hare. De warmte voelde plakkerig aan. Plotseling was er rumoer aan boord. Bij twee stoelen achter Sara klonken opgewonden kreten.

'Honderdvijftig dollar?'

'Ja, tien briefjes van vijf en vijf van twintig.'

Plastic zakken knisperden terwijl ze werden omgekeerd. Een man met een tanig gezicht grabbelde in zijn broekzakken terwijl hij speurend om zich heen keek.

'Er is een zakkenroller aan boord,' snerpte de rat.

De man boog zich naar voren. 'Hoe weet je dat?'

'Er wordt vaker gestolen op de boot van Kalehe naar Goma!'

'Rustig nou maar, doorzoek eerst je bagage eens goed,' mengde een andere vrouw zich in het gesprek. Haar volle boezem bewoog heen en weer op het geslinger van de boot.

De man stond nu ook op en keek om zich heen. 'Ik heb alles doorzocht en het is weg,' zei hij luid. Hij stapte over wat tassen heen naar het gangpad. Overal klonk gefluister en geroezemoes.

'Zeg op, wie heeft mijn geld gezien?' vroeg hij rechts en links terwijl hij tussen de stoelen door beende. Plotsklaps stond hij stil. Hij draaide zich langzaam om.

'Heb jij mijn geld gestolen?' vroeg hij dreigend terwijl hij op haar buurman af liep.

Sara hield haar adem in. Haar buurman zat te knikkebollen boven zijn enorme buik. Lege Primusflesjes op de grond tingelden bij elke deining tegen elkaar. Met haar voet duwde ze tegen een flesje, dat naar voren rolde.

'Wie pakt mijn twee kinderen een half jaar schoolgeld af?' Met een schok ontwaakte de man en kwam overeind.

'Je bent drie keer naar achteren gelopen voor bier. Heb je toen mijn zakken gerold?'

Sara kon de stem horen boven het geluid van de golven en de wind.

Het tanige gezicht was nu dichtbij. 'Nou, zeg op!'

'Ik heb niets gestolen, kerel.' Hij schokschouderde, boog voorover en pakte zijn grijze reistas. 'Kijk dan!' zei hij. 'Niets te vinden.' Hij duwde de geopende tas in het magere gezicht en gooide hem weer op de grond. Daarna sloot hij zijn ogen voor een nieuwe dommel.

De man duwde echter tegen de stevige bovenarmen van Sara's buurman. Op het moment dat ze van dichtbij de spieren in zijn nek zag aanzwellen, kwam de bootsjongen eraan.

'Uw eigendommen vallen niet onder de verantwoordelijkheid van de rederij,' zei hij terwijl hij de mannen tot stilte maande. Sara keek naar haar buurman en hield haar kip stevig vast.

Ze keek naar buiten en zag in de verte een grote, donkergrijze berg oprijzen. De huizen aan zijn voet staken minuscuul bij hem af. Dat moet de vulkaan zijn, dacht ze. Prince had haar verteld van de *Nyiragongo*, de machtige reus die ruim tien jaar geleden bijna geheel Goma vanuit zijn ingewanden had bespuwd. Een groot deel van de stad was bedolven onder de lava. 'Hoe ver is de vulkaan van Goma?' had ze gevraagd. Zestien kilometer. 'En weet je hoe snel gloeiende lava stroomt?' had ze eraan toegevoegd. 'In Kalehe, Massisi en Rutshuru is het gevaarlijker, door de rebellengroepen,' had Prince enkel gezegd. 'Maar...' Hij was haar in de rede gevallen: 'Wat wil je nou? Wil je bij mijn gezin in Goma komen wonen of niet?'

De boot schommelde nu zo hevig dat ze zich misselijk begon te voelen. Hoe lang was het nog varen? De beslagen ramen waren potdicht en het lage dak leek alle zuurstof in zich op te zuigen. Ze hield van de wind en het water. Ze was een eilandkind. Ze had nog zo geprotesteerd toen haar ouders haar dwongen de snelle overdekte boot te nemen in plaats van de houten nachtboot. Zelf wist ze het wel. Ze zou een extra pagne meegenomen hebben en die om haar schouders hebben geslagen tegen de kou van de nacht. Maar haar vader was onverbiddelijk. 'Ik ken de windvlagen 's nachts als geen ander. Je gaat niet met de houten roeiboot het meer over.'

Ze dacht aan de tien maanden die ze erover had gedaan om het ticket voor de snelle boot bij elkaar te sparen.

Met een stapel schriften onder haar arm liep Sara de Ecole Nazarié uit. Ze was blij dat de Franse les voorbij was. Een aantal van haar klasgenootjes, net als zij gekleed in een kobaltblauwe rok en witte blouse, kwam ook uit de wijk Musasa, veertig minuten lopen van Kiramba, waar de school stond.

'Heb ik het goed gehoord dat jij na dit laatste jaar naar Goma wilt gaan?' Haar vriendin Nsimiri keek haar aan.

Sara verschoof de schriften tegen haar bovenarm. Ze liepen samen op het zandpad dat naar de tien huizen in Musasa leidde. 'Ja, ik kan bij Prince wonen.'

'Wat ga je daar doen?'

'Studeren natuurlijk. Goma heeft goede universiteiten!'

Ze dacht aan de stapels biologieschriften die ze thuis bewaarde. Op de onbeschreven vellen achterin schreef ze wiskundige raadsels. Ze puzzelde vaak net zo lang totdat de vergelijkingen klopten.

'Daar heb je nooit geld voor,' verzuchtte Nsimire.

'Zolang ik op Ishovu blijf, weet ik in elk geval zeker dat ik het geld niet bij elkaar zal krijgen. In Goma heb je veel winkels en markten, daar is werk in overvloed,' zei Sara.

'Vaak zijn banen moeilijk te krijgen, hoor!'

'Ik zie wel. Mocht ik echt geen werk vinden, dan ga ik toch weg.'

'O ja?'

'Alleen al de gedachte hier te moeten blijven, en het risico te lopen dat...' Sara schudde haar hoofd. 'Nee, laat maar.' Ze stond stil en keek haar vriendin aan. 'Maar als je voor nu een baantje voor me weet, zeg het alsjeblieft. Ik moet vijf dollar bij elkaar sparen voor de boottocht.'

Later op de dag viel haar moeder tegen haar uit. 'Denk je echt dat je vader je met de houten boot laat gaan?' Met krachtige hand stampte ze de brokken cassave. 'Je moet eerst dit schooljaar zien af te ronden. En als je vader toestemming geeft om bij Prince te wonen, dan zul je met de witte boot moeten.' Ze gaf de stamper aan Sara en beval haar het werk af te maken.

De zondag erna vroeg ze het aan haar vader.

'Je weet toch dat we geen geld hebben om je te laten studeren?'

'Nee, maar ik vind wel een manier om aan geld te komen.'

'Van de nachtboot is geen sprake. Dat begrijp je.'

'Maar een enkeltje met de witte boot kost twee keer zoveel!'

'Je zult zelf het geld bij elkaar moeten krijgen.' Baba keek haar onderzoekend aan. 'Wil je gaan studeren of is er ook een andere reden?'

'Nee, vader.' Ze trok met haar grote teen figuren in het zand.

Dezelfde dag laadde hij zijn mobiele telefoon op bij een van de twee kleine generatoren op het eiland. Ze mocht Prince bellen. Haar broer moest met zijn vrouw overleggen. 'Espérance moet het wel willen, een extra vrouw in huis.' Later had hij teruggebeld om te zeggen dat het goed was. Haar vader had eraan toegevoegd dat ze mocht gaan als ze haar diploma haalde.

Na die dag verzon Sara allerlei manieren om geld bij elkaar te sparen voor de boottocht. Ze bood zichzelf als vissersknecht aan bij haar vader.

'Er valt niets te verdienen. Je zou 's nachts op de boot alleen maar in de weg lopen,' klonk het resoluut.

Ze vroeg aan haar moeder of ze op zaterdag en zondag op het land kon wieden. Er was genoeg werk te doen op de vijf akkers van de familie.

'Op zondag?' riep haar moeder uit.

'Ja, in Kalehe werken de marktvrouwen toch ook op zondag?'

'Je weet best dat de marktverkoop anders is dan werken op een akker. Je bent er eentje van Butandi. Die werken niet op zondag!'

Ze ging naar de marktvrouwen aan wie haar vader zijn vis verkocht. Die lachten hard toen Sara aanbood plastic zakjes te vullen met *Toss*. Ze hadden genoeg zakjes blauw wasmiddel.

'En pinda's uitzoeken dan?'

'Je bent amper zestien en je hoort thuis op school,' zei

een van de vrouwen. 'Je hebt toch nog geen diploma?'

Sara legde de vissen netjes recht op de houten plank. Ze joeg de vliegen weg. 'Ik ben elke dag om kwart over één 's middags uit. Als ik vanuit Kiramba doorloop, kan ik hier om twee uur zijn.'

'We geven al genoeg geld aan de familie Butandi. We betalen anderhalve dollar per kilo sambaza!' schamperde dezelfde vrouw.

'Jullie verdienen soms wel een hele dollar per kilo!' kaatste ze terug.

'Nou, nou. Je kunt niet rekenen. Dat is misschien heel soms gebeurd als de vis schaars was. Wanneer er veel wind stond.'

'Een kilo bestaat uit honderd of honderdtwintig sambaza. Jullie verkopen vier visjes voor honderd Congolese francs,' rekende Sara.

Een andere vrouw keek haar aan en zei: 'Je weet niet wat je zegt. Verse vissen moeten we in één dag verkopen, anders bederven ze. Vaak gaat onze hele voorraad verloren.'

Sara zweeg en legde de staarten van alle visjes naar elkaar toe zodat er een cirkel ontstond. Middenin legde ze een rode ui. 'Ik ben er trots op een Butandi te zijn!' zei ze terwijl ze wegliep.

'De directeur vertelde ons dat het schoolgeld met een dollar is verhoogd,' zei Sara de volgende dag.

'Is het voortaan echt elf dollar?' vroeg haar moeder ongerust.

'Ja, hij kon het salaris van het personeel niet meer betalen. Tenminste, dat zei hij.'

Haar moeder gaf haar altijd op de vijfentwintigste van de maand het schoolgeld. Op die dag moest het bedrag aan de directeur worden afgedragen. Sara was tijdens haar school-

periode vier keer naar huis gestuurd omdat ze geen schoolgeld bij zich had. De tachtigjarige directeur had haar toen
uitgefoeterd en gaf haar nog vijf dagen de tijd om het geld
bij elkaar te krijgen.

Haar moeder duwde haar twee briefjes van vijf en een
briefje van één dollar in handen. Sara bracht tien dollar
naar de directeur en verstopte het eendollarbiljet in haar
biologieschrift dat ze thuis achterliet. Maand na maand
verstreek. En elke vijfentwintigste telde Sara het geld op
een tijdstip dat er niemand thuis was. In de tiende maand
was het zover. Haar reis naar Goma kon eindelijk beginnen.

Op de dag van vertrek bekende ze. Ze kon de *Seigneur* niet
onder ogen komen met het gestolen geld. Bovendien
moest ze een gevaarlijke reis maken. Haar vader had de
tien dollar teruggeëist.

'Laat haar nu maar gaan,' had haar moeder gesust.

'Later zal ik het terugbetalen,' zei Sara.

En ze was gegaan. Met vijf kilo sambaza onder haar arm
– de zegen van haar vader.

'Nog even en je bent in Goma,' fluisterde ze tegen de kip
terwijl ze haar uit haar hand graankorrels liet eten. Het
zakje graan lag op schoot. Je wist maar nooit wanneer
Prince de kip zou slachten. Ze had in elk geval genoeg voer
voor een week.

Vanuit het bootraam werd de vulkaan bij Goma steeds
reusachtiger. Sara veegde met haar vinger over de beslagen
ruit. De huizen die eerst zo klein leken aan de oever van het
meer, groeiden uit tot kastelen.

'Wonen daar *wazungu*?' vroeg ze aan de vrouw op de stoel
achter haar terwijl ze ernaar wees. De vrouw had een roze
speld in het haar.

'Die grote huizen daar zijn hotels. Daar logeren ze. Maar je ziet ze ook rijden in jeeps van de VN.' De vrouw boog voorover. 'Heb je in Goma nog nooit blanken gezien?' Ze keek Sara onderzoekend aan.

'In Kalehe komt af en toe een blanke van een hulporganisatie kijken naar het project dat ze hebben. Zijn er in Goma meer wazungu?'

De vrouw schoot in de lach. 'Kind, je bent nog niet eerder in de stad geweest.' Ze stootte de vrouw met het rattengezicht aan. 'Hoor je dat? Het arme kind gaat voor het eerst op reis!'

De rat snoof. 'Alsof dat een probleem is. Ze weet zich prima te redden, hoor!'

De woorden bleven in een cadans in Sara's oren doorklinken. De boot leek in hetzelfde ritme mee te deinen. Ze draaide zich om en zei: 'Ja, ik weet me prima te redden.' Haar voet tikte elk woord mee.

'Je praatte in het Kihavu tegen die kip van je! Dus je woont in Kalehe, op het eiland Idjwi of een van de andere eilanden.' De vrouw keek opgetogen alsof ze zojuist een dagloon extra op de markt had verdiend. 'Wat ga je in Goma doen?' vroeg ze nieuwsgierig.

'Zit niet zo te vissen. Het gaat je niets aan wat dat kind in de stad gaat doen,' zei haar buurvrouw.

'O, ik heb geen geheimen,' zei Sara, 'ik ga bij m'n broer wonen.' Ze keek naar het schuim dat op de ramen spatte. De wind was nog niet gaan liggen. Nog een paar minuten en de boot zou aanmeren.

'Bij je broer wonen? Heb je geen ouders meer?' vroeg de vrouw.

Met een ruk draaide Sara zich om en zette haar handen in de zij. 'Ik ga studeren, ja? Iets mis mee?'

De vrouwen mompelden met elkaar. Ze hoorde flarden

van vragen hoe ze het geld bij elkaar zou krijgen.

Even later schuurde de boot tegen een betonnen kade in de haven van Kituku. De boot leek bijna te kapseizen door de golven die tegen het steen sloegen. Het duurde even voordat het vaartuig stillag. Daarna ontstond er een wirwar aan mensen die van hun stoelen opstonden, terwijl ze een greep deden naar alle tassen op het gangpad en onder de bankjes. Sara liet de meeste mensen passeren voordat ze de boot verliet. Op het moment dat ze naar voren liep, zag ze iets liggen, schuin verscholen onder een cassaveblad op de bodem van de boot. Zag ze het goed? Ze bukte zich en schoof het blad weg. Eronder lagen vijf verkreukelde briefjes van twintig dollar.

Het collegegeld voor het eerste jaar van de Université de Goma is driehonderdvijftig. Ze was al bijna op een derde! Sara streek de groene biljetten glad en stak ze onder haar pagne. Ze pakte de kip weer op en liep met langzame passen naar de laatste passagiers die naar de kade klommen.

Toen ze in Kituku aan wal stond, keek ze speurend om zich heen. Op een drafje liep ze achter hem aan. In het gekrioel van havenlui, passagiers en marktvrouwen moest ze hem niet kwijt zien te raken. Ja, het was hem. Ze wist het zeker. Sara riep. De man draaide zich om.

Zijn tanige gezicht stond nors. Hij zei niet eens *merci* toen ze hem zijn geld overhandigde.

Hagedisblauw

Op de kade rook het naar verse vis en wasmiddel. Gewassen kleren lagen in de zon te drogen op balken van primitief getimmerde marktkramen. Vrouwen zaten onder felgekleurde paraplu's bij hun voorraad *lenga lenga*. Een vrouw met een baby op haar rug maakte bundels van de groene bladeren. Om elke bos deed ze een stengel van een blad die als touwtje diende. Andere vrouwen verkochten bonen, zout, uien en tomaten. Het wit van de bloem in de wasteiltjes schitterde in de warme ochtendzon. Verderop lagen op een plastic zeil hoopjes steenkool, keurig gerangschikt in piramidevorm. Onderop vijf stuks in een rondje, daarboven drie met daar weer boven één kooltje. Sara bekeek de hoopjes. Het liefst maakte ze piramides van grote sinaasappels. Ze keek om zich heen. Nee, die waren hier niet te vinden.

Ze pakte haar tassen op en liep verder, op zoek naar Prince. Een vrouw met een bananentros op haar hoofd botste bijna tegen haar aan. Een man foeterde dat ze in de weg liep. Ze wilde iets terugzeggen, maar struikelde over een grote brok lava. Overal om haar heen grijnsden de grauwe stenen haar tegemoet. Dezelfde man die haar had uitgescholden, prikte met een ijzeren staaf in de stenen ondergrond en wrikte net zo lang tot er een spleet ontstond. Met een houweel hakte hij er daarna stukken steen uit. Zijn ontblote bovenlijf glom van het zweet. Een jongen naast hem gooide de stenen op een berg.

'Wat sta je te kijken? Heb je niets beters te doen?'

Sara wierp hem een felle blik toe en zweeg. Ze liep langs een bootje dat op de oever van het meer lag. Twee jongens zaten op de kant netten te repareren. Met hun grote teen trokken ze het net behendig strak terwijl ze gelijktijdig met dun draad de gaten stopten. Ze keek naar het ritme van hun handen. Vader kan het sneller, dacht ze.

'Nee, ik vind het te duur. Gisteren betaalde ik minder!' Achter de boten van de jongens met hun netten zaten marktvrouwen over de prijs van vis te discussiëren. Een vrouw met een scheur in haar T-shirt demonstreerde luid haar ongenoegen. De afbeelding van Obama op haar boezem was vuil en de president miste een oor. Sara keek in de oranje teil waarvoor de vrouw lag geknield. Ze zag niet alleen sambaza, maar ook grijzige visjes en andere vissen die ze nog nooit gezien had. Ze draalde om te horen hoeveel de vis zou opleveren.

'Ga je de kleine visjes drogen of verkoop je ze vandaag nog vers?'

De vrouw met het T-shirt keek haar onthutst aan.

Sara vroeg zich af of ze iets verkeerd gezegd had. Ze keek naar de gehavende Amerikaanse president. Twee andere marktvrouwen mompelden wat met elkaar. Terwijl Sara met haar handen in de zij het antwoord afwachtte, bekeken ze haar nauwlettend.

Plotseling moest ze lachen. 'Of zou Obama beter Engels verstaan?' Toen commentaar uitbleef, liep ze weg.

'Als je het vertikt om Swahili te praten, moet je nog veel leren!' hoorde ze een van de vrouwen op afstand roepen.

Ze moest nu echt op zoek naar Prince. Hij werd altijd

boos als iets niet naar zijn zin was. Sara keek of ze haar broer kon ontwaren in de warboel van marktvrouwen en straatkinderen. Ze verschoof de hengsels van de plastic tassen. Op haar arm tekenden zich striemen af die haar huid nog donkerder maakten. Ze sjouwde liever een jerrycan van twintig liter. Die kon je in elk geval op je hoofd dragen. Haar blouse was nat van het zweet. Ze dacht aan het koele water van het meer en wat ze op dat moment het liefste zou doen. Ze mocht echter niet dromen, het cadeau voor Prince was belangrijker. Het liefst at haar broer elke dag kip en vis. Haar bagage zou zijn buik tevreden stemmen en haar aankomst vergemakkelijken. Ze vermande zich en liep zoekend verder.

Een man met een streepjesoverhemd zwaaide in de verte naar haar. Ze keek goed en herkende Prince. Hij wees naar een gebouwtje, maar ze begreep niet wat hij bedoelde. Terwijl haar voeten voortsnelden, overbrugde ze de afstand.

Prince nam haar bagage over en zette die op de grond. Sara zag hem naar de avocado's kijken en zei iets over de oogst op Ishovu. De stugge blik in zijn ogen veranderde niet toen hij overeind kwam en zijn gezicht vooroverboog. Vluchtig voelde ze zijn wang tegen de hare. In de twee jaar dat ze hem niet had gezien, was hij weinig veranderd. Ze keek naar zijn hoofd waarop het kroeshaar was weggeschoren. Had hij geld voor de kapper?

'Je moet nog naar de DGM om je te laten registreren,' zei hij terwijl hij de tassen oppakte. Sara liep met de kip in haar armen mee. De deur van het douanekantoortje stond open.

'De datum op dit papier klopt niet. Het document is verlopen!' Er klonk een diepe bas. Sara zette een voet op de drempel, maar werd door de stem van net teruggestuurd. Ze moest wachten totdat deze zaak eerst was afgehandeld.

Terwijl ze op haar tenen wipte, bedacht ze welk gezicht bij de beambte zou horen. Misschien zong hij wel in een koor. Het timbre zou prachtig uitkomen bij vrouwenstemmen.

Twee gouden sterren op een schouder van een blauw uniform. Dat was het enige wat ze in een flits gezien had.

'Heb je je schoolkaart wel bij je?'

Op de tast zocht ze onder haar pagne naar het bewijs van de Ecole Nazarié. Ze trok het beduimelde kaartje onder de stof vandaan en liet het haar broer zien. 'Ik kan prima alleen op reis, Prince.'

Zijn mondhoeken leken iets omhoog te gaan, maar een glimlach kon je het niet noemen.

Er klonk gestommel in het gebouwtje. Een man met een aktetas onder zijn arm liep naar buiten.

'Nu jij.' Prince duwde haar naar binnen. Ze zette de kip op de punt van het bureau en overhandigde de schoolkaart aan de beambte.

'Die kip moet daar weg.'

Sara pakte het beest weer op en keek om zich heen. Een grote foto van Joseph Kabila boven het bureau hing een beetje scheef. Alsof hij net niet helemaal recht in de lijst paste. De president keek stuurs in de lens. Zijn dure pak zag er onkreukbaar uit. In de hoek van het kantoortje stond een tafel met stapels papieren en een bosje kunstbloemen in een mintgroen vaasje met een barst.

'Zit je nog steeds op die school in Kiramba?' De beambte was bezig haar gegevens in een groot boek te schrijven.

'Nee, ik ben gediplomeerd,' zei Sara.

De man draaide het papiertje om en om. 'Deze kaart is dus niet meer geldig.'

'Maar *monsieur*,' mengde Prince zich in het gesprek, 'ze heeft haar diploma amper een maand!'

'Nee, ik kan haar hier niet toelaten zonder geldige kaart.'

De beambte klonk van heel ver weg. Een mistige waas omstraalde de gouden sterren. Het blauwe uniform werd vager van kleur. De mond van de beambte kreeg dezelfde trekken als die van Kabila. Ze keek naar Prince. Hij schuifelde met zijn voet over de vloer. Haar broer was zo veel ouder dan zij, kon hij dit niet oplossen?

'Wat kom je in Goma doen?' vroeg de beambte na lang stilzwijgen.

Sara rechtte haar schouders en antwoordde dat ze bij haar broer ging wonen.

'Geef me je identiteitsbewijs,' zei hij met een gebaar naar Prince, die daarop een greep deed naar zijn borstzakje en het document tevoorschijn haalde. 'Je werkt bij hotel Caritas?'

Prince knikte.

Sara keek naar haar bagage op de grond en vroeg zich af of de man daarover ook moeilijk zou doen. Ze leunde tegen het bureau en dacht aan de universiteit. 'Ik ga studeren,' zei ze opgetogen. 'Dus ik kan zo snel mogelijk een pas van de universiteit laten zien!' Ze voelde dat de beambte haar met zijn ogen uitkleedde. Ter hoogte van haar borsten bleef zijn blik rusten.

'Ja, ik ben zeventien, oké? Hebt u mijn geboortedatum niet gelezen op de schoolkaart?' Ze wist dat ze te ver ging in haar brutaliteit. Maar ze verdroeg zijn blik niet. Tot haar verbazing zei de man niets terug. Prince schuifelde nog steeds met zijn schoen.

'Zorg dat je zo snel mogelijk een universiteitskaart bij je draagt.' De beambte zei het op zo'n manier dat het duidelijk was dat het gesprek was afgelopen.

'Knap stom dat je zei dat je het diploma hebt gehaald!' Prince keek haar boos aan. 'Natuurlijk zei hij daarna dat je schoolkaart niet meer geldig is. Je had gewoon moeten zeggen dat je mij tijdens schooltijd een bezoek komt brengen!'

Sara keek hem vragend aan. 'Maar had ik dan moeten liegen?'

'Ja, soms moet dat hier. Enfin, je leert het wel in Goma.' Met zijn tong maakte hij een sissend geluid naar twee brommerrijders. Die kwamen meteen aangesneld.

'Naar *Birere*. Voor duizend francs.'

'Nee, vijftienhonderd.'

'Twaalfhonderd.'

'*Montez*.' Met zijn hoofd wees de brommerrijder naar achteren. Sara gaf de kip aan hem. Ze stroopte haar pagne tot boven haar knieën op en pakte de brommerrijder bij beide schouders vast. Haar ene been sloeg ze over het achterdekje en ging zitten. Terwijl de motor aansloeg werd de kip terug op haar schoot geduwd. Ze keek over de schouder van haar *motard*. De jongen die Prince vervoerde, spurtte weg. Ze riep naar hem dat hij rustig moest rijden, maar haar stem verwaaide in de wind.

Onderweg voelde ze aan de schaafwond op haar borst. Zou deze jongen net zo rijden als die in Kalehe? Ze had niet goed gekeken naar zijn gezicht onder de baseballpet. Ze passeerden een brommer die een geslachte koe achterop vervoerde. De witte, ontvelde poten staken in de lucht. Het bloed had bijna dezelfde kleur als de rode lak van de brommer. Het droop naar beneden en liet een spoor achter op de stoffige weg. Aan de linkerkant zag ze een groot veld met tientallen koeien. Sara gaf de brommerrijder een por. 'Is dit de veemarkt van Kituku?'

'Ja,' riep hij. 'En hier zie je het slachthuis!' Hij wees naar een verveloos gebouw waarvoor twee mannen stonden. Aan een touw hielden ze een koe vast.

De brommer maakte een duik in een gat in de weg. Sara greep zich vast aan het shirt van de jongen. Ze kwamen weer omhoog. In de weg verschenen steeds meer kuilen en bulten. De brommer reed behendig om de grootste lavabrokken heen. Aan de kant van de weg stond een VN-jeep opgesteld. Achter hun mitrailleurs keken soldaten grimmig naar voorbijgangers. 'En dit is de koffiefabriek hier!' riep de jongen. Hij knikte naar een grauw gebouw. Ze keek naar een stoomwolk die uit een pijp kwam. 'Vandaag zijn ze weer aan het werk.' Sara boog zich voorover om hem te verstaan. 'De fabriek heeft maanden stilgelegen. Het was te onveilig om koffie te vervoeren vanuit de provincie!'

Even later sloeg de brommer rechtsaf. Een brede weg lag voor hen. Sara keek haar ogen uit. Tientallen brommers zigzagden door het verkeer. Ze zag volgeladen vrachtauto's, taxibusjes en allerlei soorten auto's. De jongen maakte nu echt vaart en ging de andere brommers achterna. Overal om haar heen stoof het stof op. Sara duwde haar hoofddoek verder over haar voorhoofd. Het zand drong in haar ogen en neus. Ze veegde met haar hand langs haar wang en keek naar haar vingers.

Ze riep naar de jongen dat hij niet zo snel moest rijden, waarop hij iets afremde. Het gaf haar meer gelegenheid de winkels te bekijken die voorbijvlogen. Ze zag apotheken, kledingwinkels, slagerijen en kleine supermarktjes. *Jezus is het antwoord! Goed nieuws voor u! De goede God!* Religieuze kreten gingen gebroederlijk samen met reclame van Primusbier, Coca-Cola en Vodacom. Talloze jurken, rokken en pagnes hingen in winkelpuien.

Het verkeer werd drukker. De brommer kronkelde nu als een slang tussen taxibusjes, auto's en brommers door. Van links naar rechts, van rechts naar links. Ze had nog nooit zo veel drukte gezien. Sara dacht aan haar eiland. Op

Ishovu was geen brommer of auto te bekennen. Een enkele fiets, dat was alles. Achter hen claxonneerde een vrachtwagen. Even later haalde hij hen in, het zand stoof op. Ze dacht aan Espérance terwijl ze haar gezicht bevoelde. Zo kon ze haar schoonzus toch niet onder ogen komen?

Bij een kruispunt stak een politieagent zijn hand op en gebood het doorgaand verkeer te stoppen. Langzaam kwam het tot stilstand. Enkele brommerrijders trokken zich er niets van aan en reden door. De agent floot op zijn fluitje en gaf het verkeer van de rechter- en linkerkant voorrang. Een grote jeep kwam bijna in botsing met een brommer die toch nog de oversteek waagde. De chauffeur in de auto schold door het open portierraampje. Even later reden ze verder en kwamen bij een rotonde met gebeeldhouwde dieren. Prince' streepjesoverhemd, dat even opgelost leek in de drukte van de stad, dook nu weer naast haar op.

'Nu komen we in de wijk Birere,' zei hij. 'We rijden zo door de drukste straat van Goma!' Er klonk trots door in zijn stem. Sara vroeg zich af of er straten konden zijn die nog drukker waren dan die van zojuist, maar hield haar mond. Het volgende moment was Prince weer verdwenen achter een vrachtwagen.

Ze zag drie houten loopfietsen volgeladen met zakken wasmiddel. Daarachter werd een gehandicapte man in een kar geduwd. Het shirt van de jongen erachter was nat. Aan de kant van de weg stonden witte taxibusjes op nieuwe passagiers te wachten. Een opgeschoten knul hing uit de deur van een busje en riep: 'U-L-P-G-L, U-L-P-G-L!' Ze vroeg zich af wat het betekende. Brommers wurmden zich door de smalste openingen in de verkeersdrukte. De brommer van Sara passeerde een vrachtwagen die zakken bloem aan het uitladen was. Een man hield twee witbestoven zakken voor zich en keek niet waar hij liep. De brommer zwenkte uit en reed verder. Sara zag vrouwen op straat bij teiltjes bonen, bloem en rijst zitten. Voorbijgangers konden er amper langs en stapten soms over de koopwaar heen. Links zag ze aan houten stokken talloze pagnes hangen. Vrouwen verdrongen zich voor de kleurige stoffen. De brommer passeerde een rotonde met een grote voetbal erop. 'Rond-point Rutshuru!' riep de jongen. Even later sloeg hij linksaf een smal straatje in.

Prince was al afgestapt en nam de kip van haar over, zo-dat ook zij van de brommer kon komen.

'Nog een klein stukje lopen,' zei haar broer.

Sara keek om zich heen. 'Woon je in deze wijk? Ik dacht...' Ze stopte halverwege haar zin. Langzaam gleden haar ogen langs bouwsels van golfplaten. De huisjes waren niet van steen of hout zoals de meeste op Ishovu. Ze zag scheuren en gaten in de roestige platen. 'Prince...' Ze keek om zich heen, maar zag dat haar broer al een stuk verder was gelopen. Op een drafje liep ze achter hem aan. 'Zijn hier geen stenen of houten huizen?' Ze hijgde van het lopen.

'Je hebt hier ook wel huizen van hout. Maar in Birere ge-bruiken ze vooral golfplaten.'

Ze liepen langs tafeltjes met tomaten en uien, waarach-ter tienermeisjes landerig zaten te kijken. Blijkbaar ver-kochten ze niet veel. Sara zag verderop een hele muur van stukken golfplaat die slordig aan elkaar gespijkerd waren. Roestbruin en allerlei tinten grijs wisselden elkaar af. Het was de achterkant van een reeks huisjes die pal aan de weg stonden. Op de golfplaten lagen kleren te drogen.

Prince liep een smal steegje in. Sara volgde hem. Aan weerszijden waren bouwsels die boven hen uit torenden. 'Jambo, jambo!' Een groepje kinderen rende uitgelaten op hen af.

'*Jambo saana*,' groette Sara terug.

'De buurkinderen,' zei Prince. Hij duwde een meisje weg dat hem voor de voeten liep. Het meisje struikelde en viel. Sara bukte zich en hielp haar opstaan.

Terwijl ze weer overeind kwam, zag Sara haar.

Espérance stond voor de deuropening van een huisje. Ze bekeek Sara met een onderzoekende blik. Prince had de tassen van zijn arm geschoven en op de grond gezet. Hij gaf zijn vrouw een wenk.

'Hallo Sara,' zei ze.

Sara zweeg en vroeg zich af hoe ze haar schoonzus op de vriendelijkste manier kon benaderen. Ze deed een pas naar voren en duwde de kip in de armen van Espérance.

'Fijn dat ik bij jullie mag wonen! Ik ben blij dat Prince en jij het goedvinden. En natuurlijk zal ik helpen met het huishouden. Ik...' Ze zweeg toen ze de lege blik in de ogen van haar schoonzus zag. Haar woorden leken niet tot haar door te dringen.

Prince schoof het gordijntje voor de deuropening weg en wenkte Sara binnen. De kamer was met een wit zeil afgeschermd van twee slaapkamertjes. Er stonden drie houten krukjes, twee stoelen en een laag tafeltje in de kamer. Terwijl ze gingen zitten, ging de telefoon.

'Ja, ze is goed aangekomen hier. Alles in orde.' Hij keek naar Sara die met haar hand naar zijn mobiel wees: 'Mag ik...?' Hij schudde zijn hoofd naar haar. 'Nee, ik snap dat u weinig beltegoed hebt. Ja, doe ik!' Met een geroutineerd gebaar stopte hij de telefoon terug in zijn broekzak.

'Was dat moeder?'

'Nee, vader. Je krijgt de groeten.'

Sara dacht aan haar afscheidswoorden op Ishovu. *Lulema* had haar gezegend met een goede aankomst. Tegelijk drong nu pas tot haar door hoe ver ze bij haar ouders vandaan was. Ze verlangde naar hen, maar wist dat ze dapper moest zijn. Ze was zeventien! Sara opende de plastic tassen en legde alle mango's, avocado's en patates douces op het tafeltje. Ze bukte zich om de tas met vis en cassave te pakken.

'Dit heb ik meegekregen van vader en moeder!' zei ze opgetogen tegen Espérance, die net de kip met een touwtje had vastgebonden aan een tafelpoot. De ogen van haar schoonzus verwijdden zich. Een voorzichtige glimlach kwam tevoorschijn.

'Deze vis heeft baba vannacht nog gevangen,' zei Sara.

Er klonk kindergehuil achter het witte zeil. Espérance stond op en kwam even later terug met een baby.

'Is dat Marie?' vroeg Sara. 'Mag ik haar vasthouden?'

'Ze is nu bijna tien maanden,' zei Espérance terwijl ze het kind aan Sara gaf.

Sara keek naar haar schoonzus. Er gloeide trots in haar ogen.

'Moeder vindt het niet leuk dat ze jullie baby nog nooit heeft gezien,' zei Sara. 'Gaan jullie binnenkort weer een keer terug?'

'Nou, ze heeft in elk geval Nicolas gezien en voorlopig hebben we echt geen geld voor een overtocht,' zei Prince stug.

Sara keek zoekend om zich heen.

'Hij slaapt, omdat hij vannacht veel wakker is geweest,' reageerde Espérance.

's Avonds hielp Sara haar schoonzus door ugali te maken. Ze kneedde de ballen meel van de cassave die ze had meegebracht. Espérance bakte vis in een pan kokende palmolie. Onder het eten zette Prince de radio aan op zender Okapi.

'Je wilde geld verdienen, toch?' Prince keek Sara vragend aan.

'O ja! Ik zou dolgraag...'

'Stil!' riep Espérance kortaf. Ze verschoof ongedurig op de houten kruk.

De nieuwslezer had het over een rebellengroep die meerdere dorpjes ten noorden van Goma had ingenomen. Tientallen vrouwen waren verkracht. Het regeringsleger had zich teruggetrokken. Toen het nieuws voorbij was, zei Prince dat hij van een arts met wie hij bevriend was, had gehoord dat de schoonmaakster bij *Centre Uhakika* langdurig ziek was.

Wat is dat voor centrum?' vroeg Sara.

'Medische zorg,' legde Prince uit.

Later die avond hoorde ze haar broer in het Kihavu telefoneren. 'Ze kan ook eerst een tijdje onbetaald schoonmaakwerk doen, hoor. Ze werkt hard en is handig. Ja, dat klopt. Of ze bang is van bloed? Nee, ik geloof het niet.'

Ze mocht de volgende morgen met de arts komen praten.

Haar eerste nacht aan de overkant droomde Sara over een kip die ondersteboven hing. De kip veranderde in een reusachtige vis die wegzwom. Toen ze hem bijna te pakken had, werd hij een blauwe hagedis.

'Ik durf best!' zei ze tegen haar vriendinnetje. Ze kneep haar ogen dicht en greep met beide handen het beest vast. Het blauw voelde glibberig en koud. Heel even wilde ze hem op de grond gooien, maar toen dacht ze aan de vis die hij was geweest.

'Je bent zes en kunt vissen uit het net halen en hagedissen vangen!' De stem van haar vader klonk opgetogen, maar verwaaide in de wind.

De blauwe schubben leken net tranen die schuin op elkaar geplakt waren. Ze trok een traan los en hield die in haar hand. Toen opende hij zich en stortte blauwe vloeistof over haar uit. Ze riep haar vader, maar hij was weg. Ze kon niet ademen en niets zien dan alleen zwarte ogen en blauwe schubben die steeds sneller om haar heen buitelden. Er ontstonden cirkels van tranen, schubben en ogen waarin ze zelf oploste. Op de achterste cirkel zag ze haar vader staan, die van haar weggleed. Zijn betraande gezicht vervaagde terwijl een koude wind opstak. Op de voorste cirkel zag ze Sultan, die naar haar toe deinde. Zijn gezicht kreeg schubben. En tien ogen. Aan alle ogen zat dun visdraad met aas. De draden werden naar haar uitgegooid.

Ze hield haar mond stijf dicht en keek naar een rode lap die in de zee tussen Sultan en haar dreef.

Het was haar hoofddoek.

Houtskoolzwart

Tientallen kleine kinderen en zwangere vrouwen zaten op de grond bij de ingang. Ze keken op toen Sara hen de volgende ochtend voorbijliep en Centre Uhakika binnenstapte.

Toen ze later met monsieur Paluku praatte, kwam een bezwete vrouw in een wit uniform het kantoortje binnen. 'Net nu het druk is, is er weer één ophanden!' riep ze naar de arts. De vrouw duwde Sara een lap in handen. 'Ontsmet de verlosbank!' Ze liep naar de deur. 'Nee, dat duurt te lang, ik doe het wel. Veeg de vloer!'

Sara wilde iets zeggen, maar bedacht zich toen ze naar het gezicht van de vrouw keek die haar meenam naar de verloskamer. Ze zag bruine vlekken in de stenen vloer en wreef erover met haar bezem en foeterde daarna zichzelf uit, omdat ze dacht dat ze de plekken er wel uit kon vegen. Ze dacht aan bevallingen, aan bloed, aan seks. Ze slikte en keek naar de arts bij de houten bank. Hij hield zijn oor tegen een koker die boven op een dikke buik stond.

'Ik doe het wel, doe jij de controles maar.' Hij maakte een handgebaar naar de vrouw in het uniform, terwijl hij met zijn andere hand een hoeveelheid plastic onder de gespreide benen van de zwangere vrouw duwde. Ze kreunde en wrong haar lichaam in bochten.

De vrouw in het wit nam Sara mee de kamer uit en zette haar aan het werk in de ziekenkamer ernaast. Tijdens de lange uren daarna waarin ze de vloer wel drie keer dweilde, stopte Sara af en toe haar vingers in de oren om het geluid van de barende vrouw niet te horen. Soms hoorde ze zelfs even niets meer wanneer ze zichzelf raadsels voorlegde. Hoe groot de kans was dat het kind grote oren zou hebben als beide ouders kleine oren hadden. Of dat het een afwijking in de chromosomen zou hebben als opa dat ook had, maar de ouders niet. Op de vervaagde rode lijnen van de dweil – die ooit helderwit moest zijn geweest – tekende ze met haar vingers schemaatjes en berekende ze kansen. Toen ze genoeg had van grote en kleine X'en tegenover allerhande Y-soorten, vroeg ze zich af wanneer ze naar huis zou mogen. De arts had nog helemaal niet gezegd of ze voortaan mocht komen schoonmaken.

'Pak de schaar!' De stem van Paluku achter het houten schot klonk vermoeid.

Later hoorde ze kindergehuil. Bijna tegelijk ratelde een hoge vrouwenstem die de hemel leek te willen bedelven onder merci's en aksanti.

Sara mocht kort daarna de baby zien, die onder een doek op de buik van de moeder lag. Ze ging op haar knieën naast het bed zitten om de vingertjes te strelen en dicht bij het kindje te zijn, maar vooral om de bewegingen van de dokter – schuin verscholen achter opgetrokken vrouwen-benen – niet te zien. Hij hechtte met draad de wond.

Ze streelde, ze keek en voelde dat haar borst gloeide van een warmte die ze niet eerder had gevoeld. Toen ze zag dat de moeder huilde, kreeg ze ook natte ogen. Ze wist niet of het van de hechtingen kwam of van dat grotere dat had plaatsgevonden.

'Lulema zij geprezen!' fluisterde ze toen maar.

De dokter was een man van weinig woorden, maar zijn handelingen waren trefzeker en zijn ogen stonden goed. Hij beval haar om water te halen, de vrouw en het kind te wassen en de verlosbank weer gebruiksklaar te maken. Toen hij de deur uit liep om naar de ziekenkamer te gaan, zei hij tegen Sara dat ze handig was met pasgeboren baby's.

U zou eens moeten weten wie ik ben, dacht ze. Ze wist dat de dokter van Ishovu kwam. Tegelijk sprak ze zichzelf toe dat hij niets wist. Hij was immers al jaren van het eiland af? Ze trok haar hoofddoek strakker over haar oren en vroeg aan de vrouw in het uniform wat ze kon doen.

'Zeg maar Faida tegen me, ik ben verloskundige,' zei de vrouw. 'Je mag me wel helpen door jerrycans te vullen met water. Je weet nooit wanneer de volgende bevalling komt.'

Toen ze thuiskwam, vertelde Sara over de baby die geboren was. En dat zij zomaar de dokter mocht helpen door de moeder en het kind te wassen.

'Je bent niet eens verpleegkundige of verloskundige,' schamperde Espérance.

'Doe maar goed je best,' mompelde Prince. 'Je hebt de naam Butandi hoog te houden!'

Ze vroeg zich af waarom ze niets zei over dat mooie wat de dokter had gezegd. In plaats daarvan at ze haar mond leeg en zweeg. Alleen de kleine Nicolas leek haar te begrijpen. Hij trommelde stevig met zijn hand tegen de zijkant van de pan waaruit ze met z'n allen zaten te eten. Sara vond het ritmisch klinken. Met zijn andere hand trok hij een stuk uit de kleverige bal meel en stak het in zijn mond. Sara tikte met haar vingers tegen de andere kant van de pan en haar neefje volgde haar steeds sneller wordende ritme op totdat ze na een laatste roffel samen in lachen uitbarstten.

Espérance had haar handen tegen haar oren gedrukt. Haar mond was een smalle streep. Prince' gezicht stond stug, maar Sara zag wel dat hij lichtjes in zijn ogen had toen hij naar zijn zoon keek. Lichtjes die heel even schitterden.

Na het eten luisterde Sara in het slaapkamertje naar muziek via een oude mobiel die ze die dag van haar broer had gekregen.

Le Seigneur m'aime, bonheur suprême.
Le Seigneur m'aime, Il est amour!

Ze zong zelf niet meer na wat er gebeurd was. Misschien dat zingen haar te gevoelig maakte, ze wist het niet. Ze wist wel dat haar stem zou gaan beven als ze de woorden mee zou zingen.

Dans la souffrance – sans espérance,
dans la souffrance – je gémissais.
Je redirai toujours:
Le Seigneur m'aime, Il est amour!

Ze dacht aan haar vader, die Franse liederen te moeilijk vond. Hij zong alleen in het Swahili of Kihavu en zei altijd dat het niet uitmaakte in welke taal je zong. 'Als je maar beseft dat zingen een sleutel is die de deur van je hart opent!'

Ze had eens gevraagd wat dat betekende. Het was op palmzondag geweest, lang geleden. Als antwoord had hij over haar kroeshaar geaaid. Toen ze onderweg naar de kerk gezeurd had waar die deur van je hart dan was, had hij haar aangekeken. Maar hij zag haar niet echt, het leek alsof hij iets anders zag. 'Altijd blijven zingen, wat er ook gebeurt,' had hij daarna gezegd.

Acht jaar was ze. Vol verwachting liep ze met de kinderen van de zondagsschool in optocht de kerk in. Elk kind zwaaide met zijn palmtak om het hardst om de aandacht van de ouders te trekken. Eenmaal op het podium had ze haar hand op haar borst gelegd omdat haar jurk steeds sneller ging bewegen. Bijna even snel als de muziek die uit de trommels kwam. Ze had heel even haar ogen dichtgedaan, maar daarna had ze toch weer snel naar de juf gekeken. Op het juiste moment was ze gaan zingen. Helemaal alleen. Maar dat moest. De andere kinderen hadden alleen meebewogen op de muziek en met hun palmtakken gezwaaid. Alleen bij de eerste woorden had haar stem even gebibberd. Maar dat kwam ook omdat ze naar de gezichten had gegluurd, die allemaal alleen naar haar keken.

Het was begonnen bij de moeilijkste regel. Ze wist het nog precies. Het ging over Jezus die op een ezel zat en zomaar over pagnes liep. Precies bij *Yesu*, waar ze heel hoog moest klimmen, had het meisje dat naast haar stond met haar palmtak voor haar neus gezwaaid. Ze had de juf niet meer kunnen zien en elke keer had het meisje gelachen toen ze het groene blad in haar gezicht duwde. Haar stem had omhoog moeten gaan maar het leek of ze niet bij Jezus kon komen. De bibbers waren weer gekomen. En even had ze gedacht dat ze zou gaan huilen.

'Altijd blijven zingen, wat er ook gebeurt.' Het leek alsof haar vader naast haar had gestaan. Want ze had verder gezongen, met haar ogen dicht. En het had nog veel mooier geklonken dan het hele stuk daarvoor. Alle mensen in de kerk hadden in hun handen geklapt. Ze had het amper gehoord, omdat onder het teruglopen naar de bank iemand haar mooie palmtak uit haar handen rukte en knakte. Het meisje was in lachen uitgebarsten, met de gebroken tak in haar hand. Sara had zich omgedraaid en haar een klap gegeven. De leidster had het gezien en Sara stevig bij haar arm gegrepen. Het had zeer gedaan, maar het ergste was pas later gekomen.

'De volgende palmzondag zing jij niet meer voor in de kerk. Jij maakt alleen maar ruzie!'

Het meisje had haar tranen gedroogd en gegiecheld, maar het leek alsof de juf het niet wilde horen.

Terwijl het laatste 'amour' klonk, zag Sara dat de batterij van haar telefoon bijna leeg was. Ze dacht aan haar liefde die ze vergrendeld had. Ze had bijna een jaar niet meer gezongen.

Aan de andere kant van het zeil hoorde ze Espérance. Nog even en haar schoonzus zou met de kinderen komen, die hier moesten slapen. Ze dacht aan de hoge tonen waar ze altijd bij kon komen, of het lied nu over Jezus ging of over iets anders. Na de zondagsschool was ze op het jeugdkoor gegaan en vaak had ze alleen mogen optreden.

Zou ze proberen of ze het nog kon? Haar stem laten aanzwellen tot iets groots en daarna in volume laten afnemen en fluisterend eindigen, alsof ze een vogel in de lucht was die bijna geluidloos aan zijn afdaling begint? Of juist temperamentvol door op vol volume te zingen en abrupt haar stem te stoppen, alsof hij zojuist een vis opdook uit het meer?

Ze wist dat ze het niet kon. Het kon alleen als ze haar hart zou openen en het zou onderdompelen, zoals ze jerrycans onder water liet vollopen. Alleen dan zou ze de pijn misschien minder voelen.

Il purifie – toute ma vie
Il purifie – avec son sang.

In de week erna ging Sara elke dag naar het medisch centrum. Ze schrobde vloeren, haalde liters water, hielp dokter Paluku en keek met hem mee om zo veel mogelijk te leren. Heel af en toe mocht ze niet in het verloskamertje komen als hij op de houten bank met bruin kunstleer spoedoperaties uitvoerde. Hij wilde dan niemand in zijn aanwezigheid hebben. Sara luisterde soms aan de deur, maar er klonk geen geschreeuw. Pas later begreep ze dat hij de vrouwen stil hield met een verdovend goedje.

Op een dag was de dokter er niet, omdat hij een begrafenis had. Faida was naar een vrouw toe die thuis aan het bevallen was. Alleen Vitale was in de kliniek, een oudere man die verpleegkundige was en nogal eens mopperde als Sara in de weg liep. Zijn witte jas zat steevast onder de vlekken, evenals zijn bril. Die dag was hij druk met het inenten van kleine kinderen. Sara schreef hun namen op terwijl ze kiekeboe-spelletjes deed waar ze achteraf spijt van kreeg, omdat sommige kinderen daarna nog harder gingen krijsen.

Op het moment dat Vitale nieuwe injectienaalden ging halen in het medicijnkamertje, ontstond er tumult bij de ingang. Voor de deur werd een hoogzwangere vrouw door twee jongens van een gammele handkar geholpen. Sara haastte zich naar buiten, greep de vrouw in haar oksel en wilde haar voetje voor voetje naar binnen brengen. Maar de vrouw kreunde en boog zich voorover.

'Vitale, kom snel!'

'Eerst maar eens kijken hoever ze is,' bromde Vitale toen ook hij buiten stond.

'Niet hier!' riep Sara. Ze beval de jongens om de vrouw naar binnen te dragen.

Vitale liep erachteraan en hielp de vrouw op de hoge verlosbank. Sara rilde en vroeg zich af of de vrouw het wel fijn zou vinden om door Vitale onderzocht te worden, maar die had al plastic handschoenen aangetrokken en de pagne omhoog geschoven. Toen hij even later met een ruk omhoogkwam van achter de opgetrokken benen, schoot de bril bijna van zijn neus.

'Het hoofdje, en zo te voelen is het groot ook! Dat wordt een lastige.' Pas toen leek hij haar te zien staan. 'Zorg jij nu maar dat er genoeg water is!'

De jerrycans, dacht Sara terwijl ze haar hart sneller voelde kloppen. Als ze nu nog twee keer een kwartier moest lopen naar de waterkraan, duurde het te lang. Vitale moest vooral niet doorhebben dat ze haar taak die ochtend niet had gedaan. En wat als dokter Paluku het te horen zou krijgen? Wat als de bevalling verkeerd zou aflopen, omdat ze geen water had gehaald?

Met de bidons onder haar arm snelde ze weg terwijl ze nadacht over oplossingen. Ze moest het anders doen. En wel meteen.

De eerste buren waren thuis, maar deden net alsof ze haar niet hoorden. In het huisje ernaast maakten kinderen ruzie.

'Hodi! Hodi!' riep Sara.

'Welkom,' zei een vrouwenstem.

Sara stapte binnen en struikelde over haar woorden. Toen de vrouw nee schudde, liep ze weg. Ze verloor alleen maar tijd met het vragen naar water. Ze had meteen naar de waterkraan moeten gaan, dan was ze er misschien al geweest. Ze begon te rennen, maar verloor een slipper die achter een bult gestolde lava bleef hangen. Waarom kon ze hier niet rennen zoals op Ishovu?

Onderweg kwam Sara een oud vrouwtje tegen dat op blote voeten liep. Ze liep krom door de zware jerrycan op haar rug, maar stopte even later en haalde de opgerolde reep stof van haar voorhoofd waaraan de bidon vastzat. Ze frunnikte aan een stukje plastic dat ze over de opening schoof.

Natuurlijk, de dop kwijt, dacht Sara. Ze liep op het vrouwtje af en vroeg of ze haar water mocht hebben omdat er een bevalling gaande was in de kliniek.

De vrouw wreef over de striem op haar voorhoofd. 'Ik ben zo moe,' zuchtte ze. 'En ik heb geen kinderen die water voor me halen.'

Ze begrijpt me niet, dacht Sara. Ze wilde doorlopen, maar hielp uiteindelijk toch door de bidon op de gebogen rug te leggen, waarna de vrouw moeizaam overeind kwam en haar weg kon vervolgen.

'O, ben jij van het Centre?' vroeg het vrouwtje terwijl ze Sara verdwaasd aankeek. 'Zei je nu iets over een bevalling?' Ze bukte opnieuw en haalde de strook stof weer van haar voorhoofd. 'Hier, neem het water!' Ze mompelde iets tegen *Mungu* waarvan Sara maar wat flarden verstond, omdat ze alleen oog had voor de twintig liter water die ze kreeg. Toen Sara haar lege bidon overhandigde en wegliep, zag ze over haar schouder het vrouwtje weer teruglopen naar de waterkraan. De blote voeten sloften.

'Mag ik wel mijn dop terug?' riep Sara.

Terug in de kliniek durfde ze de verloskamer niet goed binnen te gaan. Ze goot wat water in een emmer en nam de fles waaraan een spuitmondje zat mee. Die zou Vitale zo wel nodig hebben om de binnenkant van de vrouw te spoelen als de placenta eruit was. Zodra de verpleegkundige haar zag, zei hij tot haar verbazing niets over jerrycans of water, maar beval hij haar Paluku te bellen. Het hoofdje wilde er maar niet uit en er moest ingegrepen worden. Sara belde de arts, terwijl Vitale op allerlei manieren op de buik duwde om de baby in beweging te krijgen.

'Is Faida er niet? De kist wordt zo naar het graf gedragen!'

Door de herrie op de achtergrond kon Sara de dokter bijna niet verstaan. Later werd het beter, toen hij een rustiger plek had opgezocht en ze hem vertelde dat het ernst was. Hij gaf instructies waarbij Sara sommige medische termen niet begreep, maar ze wel voor Vitale herhaalde.

'En als het dan nog niet lukt, de schaar erin!'

De vrouw, die Devote heette, was tot nu toe redelijk stil geweest. Maar toen Sara de woorden van de dokter herhaalde, begon ze te jammeren en wild met haar hoofd te schudden: '*Apana, apana!*'

Sara wrong een doek uit in de emmer en koelde het voorhoofd van Devote. Ze bad hardop en riep God aan in het Kihavu en Swahili, terwijl ze vanuit haar ooghoeken Vitale de schaar ter hand zag nemen. Hij knipte lang en moeizaam. Devote gilde.

Het plastic onder de benen van de vrouw kleurde rood. Juist op het moment dat Sara wilde weglopen, haalde Devote adem en perste zo hard dat het hoofdje uit de opening kwam. De kroeshaartjes waren bedekt met een laagje bloed en vettig smeer. Sara hield haar adem in en keek naar Vitale, die met zijn hand op de buik duwde terwijl hij het hoofdje ondersteunde. Het duurde nog even voordat het hele lijfje eruit was. De verpleegkundige sneed de navelstreng door en legde de baby op een lap op de tafel in de hoek. Al snel begon hij haastig het borstje te masseren alsof al dat bloed en smeer hem niet interesseerden. Sara zag aan zijn gezicht dat hij gespannen was. Het kind zag er vreemd uit.

Devote lag met haar ogen dicht op de verlosbank. Het leek alsof ze zich niet bewust was van het feit dat ze zojuist een kind had gebaard. Vitale klopte op allerlei plekken van het lichaampje en pakte op een gegeven moment de voetjes beet en hing de baby ondersteboven. Daarna legde hij het kind weer neer en blies lange tijd met zijn mond in het geopende mondje.

'Het is dood,' zei hij daarna.

Een uur later was het pas tot Devote doorgedrongen dat ze een levenloos kind ter wereld had gebracht. Haar krijsen was overgegaan in snikken.

De dagen erna verzorgde Sara trouw de kraamvrouw alsof ze zelf in bed lag en dit gebeuren onderging. Devote lag op een kamer met nog drie andere kraamvrouwen en hun zuigelingen. Toen Sara zag dat Devote het te kwaad kreeg doordat de baby's aan de borst werden gelegd of in de oranje teil werden gewassen, probeerde ze haar af te leiden door te vragen naar haar favoriete lied, lievelingseten of jurk.

'Wat kan mij het schelen, ugali van cassave of maïs? Een gele of een rode jurk?' De ogen van Devote schoten vuur. Later werden ze dof toen ze tot drie keer toe benadrukte dat het kind een jongen was geweest, alsof ze bang was dat het dode kind nog kon veranderen in een meisje. 'Mijn echtgenoot wilde zo graag een zoon.'

Sara knikte.

'Vijf jaar. We moesten vijf jaar wachten op een mtoto. En nu is het dood. M'n man zal mij nu misschien wel verlaten.'

'O ja?' vroeg Sara.

'Mijn schoonmoeder kwam al na twee jaar vragen waar de kinderen bleven. Ze had tegen haar zoon gezegd dat hij niet te lang geduld met me moest hebben,' verzuchtte Devote. 'Misschien heeft ze het destijds zelfs wel over een andere vrouw gehad, dat weet ik niet.' Ze draaide zich op haar andere zij en keek Sara vermoeid aan.

'Waarom zeg je dit eigenlijk tegen haar? Ze is nog niet eens getrouwd, wat weet zij nu van mannen?' zei de kraamvrouw naast Devote. Ze leunde op haar elleboog op het matras en gniffelde.

'Nou, ik weet...' Sara stopte en stond bruusk op. Ze liep de kamer uit en ging op zoek naar Faida.

Toen ze later terugkwam, hoorde ze Devote met haar buurvrouw praten. Het ging over de tijd dat ze haar echtgenoot had leren kennen, hoe attent hij was en hoe vaak ze tijdens een wandeling op zondagmiddag een sucre van hem kreeg, alsof hij altijd Congolese francs op zak had. De vrouwen giechelden als jonge meisjes.

Sara ging op het matras zitten en dacht aan Sultan. Hoe hij haar had geplaagd dat ze altijd een Fanta citron wilde in plaats van een cola en dat hij altijd van het laatste restje vloeistof bellen maakte doordat hij expres door het rietje blies in plaats van zoog. Ze wreef in haar ogen en probeerde zich op Devote te concentreren. Ze hoorde de naam vallen van de markt waar Espérance fruit verkocht.

'Ken jij Espérance?' vroeg ze.

'Verkoopt ze maracuja's?'

Sara knikte. 'Het is mijn schoonzus.'

Devote keek haar even aan, maar vervolgde al gauw het gesprek met haar buurvrouw. Sara zag door het raam dat het al donker werd en bedacht zich dat ze nog wat wilde vragen. 'Ken jij hier in Goma een goed koor?'

'Er zijn hier zo veel kerken met koren!' riep Devote uit. Ze keek nadenkend. 'Ik weet dat het koor van de CBCA-église in de stad goede zangers heeft. Ik hoor van Claude altijd dat ze moeilijke liederen zingen, veel is geloof ik in het Frans.'

'Wie is Claude?' vroeg haar buurvrouw.

'O, dat is de gitarist van die gemeente. Hij woont naast me.'

Vanuit de ziekenkamer tegenover hen klonk kindergehuil. Een vrouw suste, maar het gejengel hield aan.

Sara vertelde de vrouwen dat ze misschien op een koor wilde, maar dat ze bijna niemand kende in Goma.

Devote vroeg of ze veel zong.

'Je moet altijd blijven zingen.' Sara schrok van haar eigen woorden.

'Ik kan wel met Claude praten,' hoorde ze Devote van ver zeggen.

Onderweg naar huis dacht Sara aan haar vriendin Nsimire op Ishovu. Niemand was zo creatief als zij. Restjes stof en draden wol toverde ze om tot omslagdoeken, kleden of tasjes. Onder het naaien had ze altijd tijd om thee met haar te drinken en over dingen te praten. Zou ze vriendinnen kunnen worden met Devote? De vrouw wilde haar echt helpen door met die Claude te praten. Bovendien had ze niet gelachen toen die andere kraamvrouw minachtend deed over haar leeftijd alsof ze een mtoto was die nog van niets wist. Ze had alleen wat stuurs gekeken, maar dat kwam vast doordat ze nog verdrietig was over het kind.

Op de dag dat Devote uit de kliniek ontslagen zou worden en haar man zou komen om de tien dollar van de bevalling te betalen, zag Sara een feestelijke optocht van vrouwen voor de ingang van het medisch centrum. Ze klapten in hun handen en wiegden met hun heupen op de bultige lavastenen van het terrein. Even later liepen ze het gebouwtje binnen en zongen een lied, terwijl ze de buurvrouw van Devote omhelsden. Faida legde het kind in de armen van de vrouw en onder luid gejoel vertrok de stoet met de kraamvrouw uit Centre Uhakika.

Sara zag dat Devote geluidloos huilde. Ze liep naar de gang waar Faida met medicijnen bezig was en vroeg of Devote niet op het matras kon zitten in de ziekenkamer waar niemand was. Er zou die ochtend nog een vrouw door buurvrouwen en familieleden opgehaald worden en dat zou er even vreugdevol aan toegaan.

'Ze zal door de houten schotten heen nog wel alles kunnen horen,' zei Faida. Maar ze keek begripvol en hielp Sara met het openhouden van een plastic zak waarin Devote pagnes en babykleertjes stopte.

'Aksante saana,' zei Devote in de andere kamer. Ze pakte de arm van Sara stevig beet.

'Geen dank, hoor,' zei Sara. 'Zal ik je haren eens doen? Ik heb net de uniformen uitgewassen en heb wel even tijd.'

Ze ging in kleermakerszit op het matras achter Devote zitten en trok met een kam een scheiding in het pluizige haar. De korte vlechtjes waren vettig en er zaten allemaal klitten in. 'Ik zou dolgraag lange vlechten willen hebben,' zei ze. 'Maar ik heb gehoord dat het invlechten in de stad wel tien dollar kost.'

'Mijn zus is kapster, die wil het best een keer voor niets doen,' zei Devote.

Toen Sara dat hoorde, trok ze per ongeluk een vlecht mee in de kam.

'Au!' riep Devote.

'Maar ik ben ook zo blij!'

Terwijl Sara Devotes haren kamde, groeide het vertrouwen tussen beide vrouwen. Devote vroeg Sara iets over haar eiland te vertellen. Ook wilde ze weten waarom ze naar Goma was gekomen terwijl haar familie op Ishovu was achtergebleven. Sara vertelde dat ze wilde studeren en dat ze sinds een paar dagen aan geneeskunde dacht, omdat ze zo veel bewondering had voor dokter Paluku. Maar ook vertelde ze dat ze nog twijfelde, omdat ze tijdens bevallingen te veel nadacht over de manier waarop het kind was verwekt en over de vraag of de moeder wel blij was met het kind.

Devote draaide zich een kwartslag om en peilde haar met haar blik.

Sara keek weg en voelde haar hart sneller kloppen. 'Als je naar mij kijkt, kan ik je haar niet kammen,' zei ze zo luchtig mogelijk.

'Toch vind ik het vreemd dat je je ouders verlaat om te gaan studeren, terwijl ik aan je kleren kan zien dat je weinig geld hebt,' zei Devote.

'Waarom denk je dat ik hier werk!' riep Sara uit.

Devote legde haar arm op de hare. 'Het zou toch veel logischer zijn dat je op Ishovu een baantje zou hebben en pas daarna naar Goma zou gaan om te studeren?' Ze draaide zich nu helemaal om. 'In oktober bijvoorbeeld, als het collegejaar begint?'

Sara voelde haar wangen warm worden. 'Prince, mijn broer, vindt het fijn dat ik zijn vrouw een beetje help in de huishouding. Ze is druk met de verkoop van maracuja's op de markt. En ik vind het niet erg om na een werkdag in huis nog wat te moeten doen.' Ze stopte. 'Echt, ik weet mezelf prima te redden.'

Devote streelde de kootjes van Sara's hand. 'Je komt heel trots en zelfstandig over. Maar ik weet dat...' ze keek Sara aan terwijl ze pauzeerde, 'ik weet dat je iets verbergt.'

'Iets verbergt?' riep Sara uit.

Devote veegde over haar ogen. 'Je bent zo jong en je bent zo mooi! Deze last moet je niet alleen dragen.' Er rolde een traan over haar wang.

Sara keek ernaar en zag de druppel vervagen en veranderen in ogen zo zwart als houtskool waaraan scherpe visdraden bungelden. Als ze nu niets zou vertellen, zouden die draden haar omwikkelen en haar de adem benemen. Ze zou verstrikt raken en nieuwe nachtmerries krijgen over cirkels van tranen en schubben waarin ze voor altijd zou moeten ronddolen.

Ze haalde diep adem en maakte haar hoofddoek los.

'Ik ben op de vlucht.'

Bliksemwit

'Het is net de *pirogue* van mijn vader!'

'Nee, die van mijn broer!'

'Het is helemaal geen pirogue. Het is de snelle witte boot!'

Sara hoorde hoge stemmetjes op de wind naar zich toekomen. Ze kon drie kinderen onderscheiden die gehurkt met iets bezig waren in een modderige plas. Toen ze op het zandpad, dat door het beboste deel van het eiland liep, dichterbij kwam, zag ze dat het om een plastic fles ging. De kinderen kibbelden wie de boot mocht sturen. Ze vulden de liggende fles met een klein laagje water en duwden hem voor zich uit.

'Ik weet wat! We gaan onze schat erin doen. Dat zijn dan de mensen op de boot!' Het kleinste jongetje trok zijn slippers uit de modder en gooide ze aan de kant. Zijn twee vriendjes diepten uit hun broekzakken steentjes op die het volgende moment veranderden in heuse passagiers.

'Tien dollar alstublieft!' Het kleinste mannetje hield een glimmend steentje in de lucht. Zijn wijsvinger ging waarschuwend omhoog. 'Hebt u dat niet? Dan mag u ook niet mee naar Goma!' Met zorg stopte hij het kiezeltje weer in zijn broekzak.

'Moet je ze horen praten!' Sara stootte Sultan aan en lachte. Ze liep met haar sandaalhakjes in een grote boog om de waterplas heen. Maar haar zondagse schoeisel zoog zich vast in de blubber.

'Kinderachtig,' zei Sultan.

Sara veegde even later met een bananenblad de viezigheid van haar sandalen. Ze streelde de roze glimmende balletjes op de voorkant. Die waren gelukkig schoon gebleven. Ze balanceerde op één been om het schoentje aan te schieten terwijl ze steun zocht bij Sultan. Ze greep mis. Waar was hij?

'Apana, apana!' Ze hoorde kindergeschreeuw. Haar ogen volgden het geluid totdat ze bij het grootste jongetje bleven rusten. Hij rukte aan de ene kant van de fles, de rest van het plastic was niet zichtbaar doordat een ander kind voor hem stond. Sara deed een stap opzij en zag toen haar vriend staan. Ze tuurde naar zijn gezicht onder de rode baseballpet, maar zag alleen zijn handen die aan de andere kant van de fles trokken. Wat deed hij? Ze keek naar een van de jochies die wild op de arm van Sultan timmerde.

Sultan trok de fles uit de handen van de kinderen en gooide hem in de lucht. Vervolgens hield hij hem ondersteboven. Het water kolkte eruit. 'Kijk maar, het is helemaal geen boot!' riep hij.

'De mensen op de boot, de mensen op de boot!' riep de kleine man. Eén voor één buitelden de grijze kiezeltjes uit de fles en vielen in de plas.

'Die verdrinken, zie je?' Sultan grijnsde.

'Maar het was mijn schat!' Het stemmetje vloog omhoog. 'We hebben wel een hele dag moeten zoeken!'

'Een hele dag!' Een ander jongetje schudde wild zijn hoofd op de woorden mee.

Sultan lachte en hield de lege fles voor zijn opgetrokken knie. Met één beweging kraakte het plastic als een hoopje in elkaar.

'Onze bóót!' gilde het kleinste jongetje. Zijn handen waren gebald tot vuisten.

'Die lijdt schipbreuk,' zei Sultan spottend terwijl hij het ingedeukte plastic van zich af gooide. Er ontstonden kringen in het water en er verschenen steeds meer kleine cirkels door druppels die uit de lucht vielen.

Sara gaf haar vriend een pets in zijn gezicht. 'Je gaat nú nieuwe steentjes zoeken, Sultan. En je zorgt voor een andere fles!' Ze zette haar handen in de zij, maar hij greep haar arm en hield die stevig beet.

'Laat dat!' snauwde hij.

Ze keek langs zijn arm omhoog. Het was alsof ze hem voor het eerst zag. De donkere ogen onder de rand van de pet, het vel dat zich over twee neusgaten welfde, de beginnende haargroei op de kin en onder de neus, de brede lippen.

Er liep een druppel regenwater langs de kaaklijn.

Ze voelde de kracht van zijn handen in haar bovenarm verminderen en worstelde zich los.

'Hij is echt gemeen!' hoorde ze het ventje snikken.

Sara hurkte bij het kind neer en zei dat ze wist waar hij woonde. Het was toch tegenover de École Mukundu in Musasa, dezelfde wijk waar zij woonde? Ze zou hem morgen helpen om steentjes te zoeken.

Toen richtte ze zich op, keek Sultan koel aan en liep met kordate stappen op haar hakjes bij hem vandaan.

Sara keek naar de lucht die donkergrijze tinten vertoonde. Bananenbomen langs de zandweg kraakten in de wind. Nog even en de bui zou in volle hevigheid losbarsten.

Sultan had die middag uit de kerk voorgesteld een eind te gaan lopen nadat ze hun wekelijkse sucre hadden gedronken. Omdat ze ervan hield in haar zondagse kleren te flaneren, had ze toegestemd. Onderweg waren ze steeds minder stelletjes tegengekomen, de meeste bleven in het bewoonde gedeelte van het eiland. Sultan had haar ge-plaagd door te zeggen dat ze wel zere voeten zou krijgen, maar Sara had aan zijn gezicht gezien dat hij de hakjes mooi vond. Hij had haar van top tot teen met zijn ogen ge-streeld. Daarna had hij gezegd hoe mooi ze gezongen had die ochtend en hoe geweldig ze eruit had gezien in haar *en-semble*. Was Sara niet gelukkig dat hij andere meisjes had laten zitten en haar had uitgekozen? Wilde ze niet met hem een wandeling maken zonder andere mensen om hen heen? Ze hield toch van haar eiland en de natuur en van hem?

Sara deed haar rok wat omhoog en maakte vaart.

De vriend die haar liefkoosde, was dezelfde die speel-goed van kinderen kapot trapte. In de ogen die haar eerst hadden bewonderd, woedde nu een gloed die ze niet eerder had gezien.

Het begon te gieten. Langs het pad kreunden bamboe-stammen in de wind.

'Sara, kom mee, ik weet een plek!' riep Sultan achter haar. Ze wilde terugschreeuwen dat ze zich wel kon red-den, maar keek naar de witte letters op haar blauwe pagne. *Jesus is the light! Jésus est la lumière!* Nog even en haar mooiste kleren zouden doorweekt zijn. Ze schopte haar sandalen uit en liep op blote voeten achter Sultan aan.

Waar ging hij heen? Het zandpad liet hij achter zich. Sara keek naar zijn rug. De tuniek stond bol van de wind. Ze rende verder op het bospaadje. Even later zag ze hem voorovergebogen bij een rieten hut staan. Hij morrelde met een sleutel aan een hangslot. De deur zwaaide knarsend open.

'De beste schuilplek voor mijn prinses!' zei Sultan terwijl hij zijn borst vooruitstak.

'Ik ben je prinses niet.'

Sultan ging op het gescheurde matras zitten en vroeg of ze nog steeds boos was. Hij had de fles niet moeten kapotmaken. Het was niet zijn bedoeling geweest, hij wist gewoon even niet wat hij deed. Kon ze hem vergeven? Was ze niet blij met haar nieuwe pagne die hij een tijdje terug aan haar had gegeven? Dat was toch bijzonder? En kon ze vandaag weer lief tegen hem doen, hij was toch haar vriend?

Sara ging op het uiterste puntje van het matras zitten, maar Sultan zette zich naast haar. Ze liet zijn woorden langs zich heen glijden, alsof het waterdruppels waren die maar even contact hadden met haar huid. Sultan wilde haar liefkozen, maar ze draaide haar hoofd weg en zei dat alles voorbij was tussen hen.

Later zat hij aan haar ensemble. Ze trok zijn armen van zich af en worstelde. Met beide handen probeerde ze de pagne vast te houden, maar Sultans kracht was sterker. Ze voelde zijn adem langs haar lijf en wilde zich wegdraaien.

Toen kwam de bliksem die alles in de hut een onrealistisch aanzien gaf. Ze hoorde de donder knallen, de bomen boven haar kreunen, de regen striemen. Ze zag een babyhagedis die verschrikt omhoog kroop langs de houten paal onder het rieten dak. Hij had nog geen schubben, alleen een naakt, rozig vel dat soms schichtig veranderde in blauw neonlicht. Terwijl het natuurgeweld buiten zich mengde met dat daar binnen in haar, volgde ze het beestje totdat het verdwenen was. Daarna keek ze naar haar kleren naast het matras. Het bliksemlicht zette de witte letters op haar pagne in brand. *Jésus est la lumière!*

Maar Yesu was er niet. Het was donker in de hut.

Sara keek naar Devote. 'Hij had de sleutel van een vriend gekregen.'

'Vooropgezet plan dus,' zei Devote.

'Ik weet het niet,' weifelde Sara, 'maar ik had nooit met hem mee moeten gaan.'

'Heb je het aan je moeder verteld?'

'Ik ben drie dagen ziek geweest. Pas op de derde dag durfde ik het tegen haar te zeggen. Ze was boos, omdat ze kort daarvoor nog tegen me gezegd had dat ik niet met jongens alleen moest zijn.' Sara plukte aan haar schort. 'Misschien was het ook wel mijn eigen schuld. Ik had voor de regenbui al terug naar huis moeten gaan.'

'En je vader?' vroeg Devote.

'Mijn moeder heeft het aan hem verteld. Hij was zo boos dat hij tegen een jerrycan schopte, net zolang totdat er een scheur in het plastic kwam en het water eruit sijpelde. Hij is een maand niet in de kerk geweest. Niemand begreep waarom, alleen mijn moeder en ik. Hij joeg Sultan weg als hij aan de deur naar me vroeg.' Ze stopte. 'Pas later werd het anders.'

'Hoezo?' vroeg Devote.

De deur werd opengegooid. Faida vulde de opening met haar brede boezem. 'Aan het werk, *dada!*'

De zaterdag erop ging Sara naar het koor waar Devote het over had gehad. Ze mocht komen proefzingen bij Claude en de secretaris van La Semence, zoals het koor heette. Devote had met haar buurman gesproken, maar hij kon niets beloven voordat hij Sara zelf had horen zingen. Sara verdwaalde onderweg omdat alle wegen met lavakeien zo op elkaar leken. Geld voor een brommer wilde ze niet uitgeven, omdat ze zuinig was op haar spaargeld. Ze sprak met een motard die zei dat ze vlakbij was. Toen het brommergeluid langzaam wegstierf, hoorde ze gezang. Ze liep erop af en zag achter een rode poort een grote kerk opdoemen. De deuren stonden open. Sara luisterde naar het lied dat gezongen werd. Toen ze over de drempel stapte, zag ze vijftien, misschien twintig mensen op de knieën zitten terwijl ze zongen.

Prosternons-nous,
humilions-nous.
Fléchissons les genoux
devant l'Eternel,
notre Créateur!

Sara knielde onder het zingen op de drempel en verborg haar gezicht in haar handen. Toen het koor later zong over de heerlijkheid en majesteit van de Créateur, begon een zuivere vrouwenstem te zingen. Sara keek naar de vrouw en zag haar bovenlijf heen en weer wiegen op het ritme, haar handen opgeheven in de lucht, de ogen dicht. Ze zette haar stem extra kracht bij toen ze over de splendeur en de magnificence zong, alsof ze Gods majesteit nog heerlijker wilde maken. Sara wiegde mee met de armen om haar middel, terwijl ze op haar knieën lag.

Zo moet de hemel zijn, dacht ze.

De vrouwenstem zwol aan en mengde zich met die van een man. Hij kwam overeind en liep een paar passen naar voren op het gangpad. Even dacht Sara dat hij alleen voor haar zong, maar hij gebaarde naar de drummer, die met ferme slagen op de bekkens sloeg. Het koor kwam omhoog uit de geknielde houding en zong nog luider dan eerst. De vrouw zong weer en daarop reageerde het koor. Sara zoog de muziek op alsof ze een dor veld was dat in het droge seizoen op God en regen wacht.

Plotseling drukte de pianist bijna alle toetsen in van het keyboard om het koor tot zwijgen te brengen. De harmonie spatte uiteen. Valse noten klonken wreed door het vierstemmig gezang. 'Stop!' riep hij. 'De laatste twee regels klinken niet goed, opnieuw!'

De drummer sloeg op het drumstel en even later vielen de stemmen weer in. Sara keek naar de zangers, de meeste waren vrouwen. Zou ze aangenomen worden? Zou haar stem voldoende zuiver zijn? Zouden ze niet laatdunkend over haar doen omdat ze van Ishovu kwam en nog niet zo goed Frans sprak? Ze streek over haar hoofddoek en zei tegen zichzelf dat alleen Devote van haar verleden wist. Ze keek naar de twee gitaristen. Wie van hen was Claude? Degene die het dichtst bij het keyboard stond, leek haar het sympathiekst. Maar misschien was het juist die ander. Nadat het koor de laatste regel gezongen had, riep een man in een wit overhemd haar naar voren. Wat ze hier kwam doen? Op zondag was er dienst, dan kon ze komen luisteren. Nu was de kerk alleen toegankelijk voor het koor. Nog voordat Sara iets terug kon zeggen, boog een van de gitaristen zich naar voren en mompelde iets tegen de man. Daarna hoorde ze die twee fluisterend praten en deed een stap in hun richting.

'Er zijn al te veel koorleden, meer kunnen we er niet bij hebben.'

'Ze ziet er nogal pauvre uit, heeft ze wel geld om de contributie te betalen?'

'Wie weet heeft ze een goede stem.'

Er ontstond geroezemoes onder het koor. De jongen met de gitaar kwam naar haar toe. 'Ik ben Claude. Jij bent Sara, toch?' Hij keek naar de man in het witte overhemd. 'Ik denk dat Sara het best een lied kan zingen dat ze goed kent en dat we daarna beoordelen of ze toegelaten kan worden.'

Sara wist dat Claude haar bekeek. Ze voelde de vale plekken in haar zondagse blouse branden. Ze had geen mooie vlechten of een pruik zoals de vrouwen op het koor. Ook droeg ze geen make-up of oorbellen. Of pumps met hoge hakken. In plaats daarvan liep ze op afgetrapte sandaalhakjes. Toen dacht ze aan baba die moeder terechtwees als ze weer eens klaagde over het gebrek aan Congolese francs. Hij vroeg dan weleens of ze met Yesu wilde ruilen die maar één pagne had en op een steen in het veld sliep in plaats van onder een golfplaten dak. Ze trok haar schouders recht en glimlachte naar Claude. 'Ik ben Sara en ik kom graag zingen,' zei ze eenvoudig.

Even later werd haar gevraagd welk lied ze wilde zingen. Claude zou haar begeleiden op de gitaar, hij kende bijna alle gezangen uit zijn hoofd. Ze dacht aan haar lievelingslied in het Swahili en juist op het moment dat ze het wilde zeggen, moest ze eraan denken dat Devote had gezegd dat het koor moeilijke liederen zong. Misschien is iets in het Frans beter, dacht ze.

Nadat ze Claude verteld had wat ze wilde zingen, tokkelde hij op de gitaar de eerste akkoorden. Uit haar ooghoeken zag ze de koorleden afwachtend kijken. Ze schudde haar schouders los en maakte links en rechts pasjes met haar voeten. Haar heupen draaiden mee. Heel even aarzelde ze. Zou ze het durven? Zou haar stem krachtig genoeg zijn? Ze twijfelde over het lied dat ze gekozen had, misschien zou haar stem op de verkeerde momenten gaan beven. Ze keek naar Claude, die haar bemoedigend toeknikte. Toen zette Sara in en zong met een stem die steeds voller en krachtiger werd.

Dans le secret de nos tendresses – Tu es là.
Dans les matins de nos tristesses – Tu es là.

De gitaar klaagde teder. Sara droomde weg naar alles wat haar hart droef maakte en dacht aan Gods tegenwoordigheid. Was Lulema erbij geweest op die regenachtige zondag? Ze had haar pagne op dezelfde dag verscheurd. Ze kon de letters *Jésus est la lumière* niet meer verdragen. Het licht was gedoofd, zoals een petroleumlamp voor de nacht wordt uitgeblazen. Jezus was er niet bij geweest, maar de bliksem wel. Het weerlicht in de hut had haar verschrikt, maar op een vreemde manier ook vertroost. Alsof de Almachtige met zijn natuurgeweld aanwezig wilde zijn. 'Tu es là?'

Claude tokkelde niet meer, maar sloeg nu stevig met zijn hand tegen de snaren. Alsof hij aanvoelde wat ze ging zingen. Terwijl ze haar stem liet aanzwellen, voelde ze haar bloed sneller stromen.

> *Tu es là au cœur de nos vies*
> *et c'est Toi qui nous fais vivre.*
> *Tu es là au cœur de nos vies,*
> *bien vivant, o Jésus-Christ.*

Sara zong en zong. De deur van haar hart hoefde ze niet moeizaam te openen met een verborgen sleutel, hij werd door een mysterieus iemand opengegooid. De pijn en schroom om te zingen gleden van haar af, met de tranen die over haar wangen rolden. Ze dronk en zong, wetend dat ze het geheim verstond. Zonder nog oog te hebben voor haar omgeving knielde ze voor Hem neer.

Ze hoorde dat de drum zich bij de muziek voegde. De gitaar liet stevige akkoorden horen, er klonk ritmisch geklap door koorleden. Sara kwam overeind en bezong met opgeheven handen haar overgave en blijdschap.

Au plein milieu de nos tempêtes – Tu es là.
Dans la musique de nos fêtes – Tu es là.

Terwijl het geluid langzaam wegstierf, veegde Sara haar wangen droog. Het was stil in de kerk, iedereen zweeg. Ze keek naar Claude die de band van de gitaar om zijn schouder verschoof. Sara wipte ongedurig van haar linker- op haar rechtervoet. Toen hoorde ze Claude luidruchtig in zijn handen klappen. De drummer viel hem bij door tegen de bekkens en trommels te roffelen. Twee vrouwen naast haar gaven klapjes op hun mond waarbij ze met hun stem schelle geluiden produceerden.

'Bienvenu!' riep Claude opgetogen. Hij kwam naar haar toe en legde een hand op haar bovenarm. Er glom iets in zijn ogen wat Sara niet kon thuisbrengen.

'Ze zingt echt goed!' klonk een zachte vrouwenstem vanachter het keyboard.

'Ja, dat wel. Maar aan haar kleren te zien, zal ze de contributie wel niet kunnen betalen!' schamperde een andere vrouw terwijl ze Sara nauwkeurig observeerde.

'Laat dat, Agnes!' Claude keek fel naar het koorlid. 'Contributie is een ondergeschikte zaak. Sara zingt prachtig!'

Sara voelde dat hij in haar arm kneep, alsof hij onbewust zijn woorden wilde onderstrepen. Ze keek naar hem op en vroeg hoeveel de maandelijkse bijdrage was.

'Is die echt zo veel?' Ze aarzelde. 'Op Ishovu was het één dollar.'

'Zie je wel?' hoorde ze Agnes triomfantelijk roepen.

Claude liet haar arm los en liep naar de man in het witte overhemd. Ze fluisterden, maar Sara stond te ver weg om te horen wat er werd gezegd. Hij kwam terug en vroeg of ze bereid was de komende twee maanden elke zaterdag en zondag naar de kerk te komen. 's Zaterdags om te oefenen en 's zondags voor het optreden tijdens de dienst. Hij zou met *pasteur* Joshua overleggen over haar financiële bijdrage, daar moest ze zich maar geen zorgen om maken. En na die twee maanden zouden ze verder kijken.

Sara knikte. Het liefst wilde ze over het podium dansen, maar ze bleef staan en trok haar rok recht.

Toen ze onderweg naar huis was, belde ze Devote. Terwijl de brommers langs haar heen raasden, luisterde ze naar haar mobiel. Een automatische vrouwenstem vertelde dat de lijn slecht was en dat ze geduld moest hebben. Na vier keer proberen kreeg ze eindelijk gehoor. Sara struikelde over haar woorden, ze wilde vlug praten om *unités* te besparen. Ze bedankte Devote dat ze met Claude gesproken had en vertelde trots dat ze aangenomen was bij La Semence. Ze vertelde over de grote hoeveelheid houten banken die ze in de kerk had gezien en over de pruiken en vlechten van de vrouwen. En dat ze nog nooit een koor had gehoord dat zo bijzonder had gezongen. Het proefzingen was goed gegaan, Claude was aardig tegen haar geweest en had meegespeeld op zijn gitaar. Wist Devote eigenlijk wel dat hij goed kon spelen? Hij zou haar alleen begeleiden, maar de jongen achter het drumstel was halverwege het lied ingevallen en de koorleden hadden meegeklapt op het ritme.

'Sara?'

'Is de lijn slecht?'

'Valt mee. Ik wilde je nog vragen of je iets was opgevallen aan Espérance.'

'Espérance?' Sara zag de gezichten van Claude, Agnes en de man in het witte hemd vervagen. Voor het eerst die dag dacht ze aan haar schoonzus. Wat was Devote opgevallen?

'Op de markt gedraagt ze zich anders dan normaal,' zei Devote. 'Misschien moet je er eens op letten.'

Sara slikte. Was Devote nu werkelijk meer geïnteresseerd in Espérance? Kon ze niet heel even luisteren naar wat ze beleefd had bij La Semence?

Die middag sopte Sara de houten krukjes en het tafeltje in de woonkamer. Daarna dweilde ze de vloer terwijl ze de liederen zong die ze had gehoord. Ze was blij dat ze het rijk alleen had omdat Espérance maracuja's verkocht op de markt. Ze dacht aan haar schoonzus, die nooit echt blij keek en vaak zure opmerkingen maakte. Over het werk van Centre Uhakika deed ze minachtend, ook leek ze Sara's hulp in huis niet echt te waarderen. Sara had er nooit bij stilgestaan waarom Espérance zo nukkig was. Was ze niet blij met Prince en de kinderen?

Sara spoelde de dweil uit en keek op haar mobiel. Over een kwartier zou haar moeder bellen zoals ze elke zaterdagmiddag had gedaan. Ze zag ernaar uit om over het koor te praten, hoewel ze wist dat muziek haar vader meer interesseerde dan haar moeder. Toen ze haar aan de telefoon had, luisterde ze amper, maar ratelde in het Kihavu over wat ze had meegemaakt. Haar moeder zei verschillende keren dat de batterij van de telefoon bijna leeg was, ze moest het kort houden. Bovendien viel de visvangst tegen die week, dus had ze geen nieuw beltegoed kunnen kopen.

'O, maar dan stoppen we toch gewoon?' zei Sara luchtig.

'Nee, ik wilde je nog wat vertellen.'

'Over Heri zeker, loopt hij nog steeds met dat vriendinnetje rond? Germaine heette ze toch?' Sara lachte.

'Nee, het gaat over Sultan.' Haar moeder zweeg.

'Sultan?' Sara voelde haar hart sneller kloppen.

De verbinding kraakte, nog even en de lijn zou uitvallen. De batterij van haar vaders mobiel misschien ook.

'Ja, hij is vandaag...'

Een scherpe pieptoon klonk.

Sara belde haar moeder terug en prees zich gelukkig dat er werd opgenomen. Ze vroeg of haar moeder het wilde herhalen. Met een klamme hand veegde ze langs haar neus.

'Sultan komt naar Goma,' hoorde ze toen.

Handpalmroze

Sara legde de mobiel op het tafeltje in de kamer. Ze concentreerde zich op een rustiger ritme voor haar ademhaling, maar er veranderde niets. Haar borst ging nog even snel op en neer. Ze deed haar armen omhoog en zag natte plekken onder de oksels. Met een duw schoof ze het zeil opzij en liep naar de tas met haar kleren achter het matras. Terwijl ze een T-shirt tevoorschijn haalde, dacht ze aan Sultan. Wat kwam hij in Goma doen? Het bootticket was te duur voor een paar dagen. Sultan kwam dus voor langere tijd hierheen. Zou hij werk zoeken? Op de diploma-uitreiking had hij gezegd dat hij geld ging verdienen met vissen. Maar dat hadden bijna alle jongens van het eiland gezegd.

Haar hart bonkte toen ze dacht aan krappe, naar zweet stinkende taxibusjes. Het zou zomaar kunnen dat ze op een dag naast een jongen zou zitten die Sultan bleek te zijn. Haar hoofddoek zou ze schuin voor haar gezicht moeten houden, misschien dat hij haar niet zou opmerken. Zeker niet als ze zich bij de eerste de beste stop uit het busje zou wurmen. Ze kon ook elke dag naar Centre Uhakika gaan lopen. Maar dat zou haar zo'n drie uur kosten, als het niet meer was.

Sara leegde een zak boven een plastic zeef. Tientallen

bonen buitelden over elkaar heen. Ze ging in kleermakers-zit op de grond zitten en haalde takjes, steentjes en beestjes eruit. Ook de bonen die verdroogd of doorgeknaagd waren, legde ze aan de kant. Wat er overbleef, liet ze langzaam tussen haar vingers glijden terwijl ze naar de verschillende kleuren keek. Ze veegde de vloer een beetje schoon en legde alle roze bonen naast elkaar op een rij. Aan de linkerkant selecteerde ze heel lichtroze die bijna schitterden door het zachte wit, daarnaast lichtroze en iets donkerder roze – als de binnenkant van de handjes van een pasgeboren baby – en donkerroze. Daarna pakte ze alle kleuren geel uit de zeef. Ze keek naar zachtgele brokken kaas, goudgele wafels en ontdekte oranjegele jerrycans. Er waren maar enkele bonen die mintgroen waren, die legde ze tussen de roze en gele rij in. De rest van de peulvruchten was bruin, grijs of zwart. Geen enkele boon was effen, ze hadden allemaal spikkels en strepen, alsof ze wedijverden met een avocadoschil.

Vervolgens ging ze op haar knieën zitten en maakte op de vloer een gezicht. De neus en kin werden handpalmroze, de wangen goudgeel, het voorhoofd oranjegeel met hier en daar een boon mintgroen, de mond donkerroze, het kroeshaar bruin met grijze strepen, de ogen zwart. Terwijl ze de bonen rangschikte, dacht ze aan de ogen van Sultan. Die waren heel donkerbruin met zwarte spikkels.

'Wat doe jij daar op de grond?'

Zonder dat Sara keek, wist ze wie dit zei. Ze legde haar handen beschermend boven het kleurrijke gezicht en keek opzij.

Espérance stond in de deuropening. 'Weet je niet hoe duur petroleum is? Je had voor het donker het eten al klaar moeten hebben!' Ze haalde de band van haar voorhoofd en zette met een zucht de zak van haar rug op de grond. Sara hoorde de maracuja's over elkaar heen rollen.

'Nee maar, is dat ons avondeten?' Espérance lachte spottend. Ze liep op Sara af en veegde met haar slipper het gezicht in één beweging tot een grimas. De bonen vlogen over elkaar heen.

Sara kwam overeind en hief haar hand omhoog. Vlak voor ze wilde uithalen, keek ze in de ogen van haar schoonzus. Het waren twee donkerbruine bonen met een vleugje grijs erin. Ze liet haar hand langzaam zakken. 'Of dat het avondeten was?' vroeg ze zo luchtig mogelijk. 'Nee hoor, we hebben nog een restje van gisteren. Deze bonen ga ik wassen en in de week zetten voor morgen. Trouwens,' ze keek Espérance vanuit de hoogte aan, 'mocht je je echt zorgen maken over de ugali, die heb ik zo gemaakt.' Ze keerde haar schoonzus de rug toe, pakte een jerrycan en goot water in een teil. Met haar handen graaide ze het kapotgevallen gezicht bij elkaar en wierp het in het water. Ze boende luidruchtig en goot het troebele water in een emmer. Daarna zette ze haar kunstwerk een nacht in de week.

Onder het eten jengelde Nicolas dat de bonen niet lekker waren. Prince gaf hem een draai om zijn oren, waarna hij in huilen uitbarstte. Toen het later stil was, vroeg Prince of ze meer hadden gehoord van een ontplofte bom uit een helikopter. Hij wist niet of het toestel van het regeringsleger was of van de Verenigde Naties. De helikopter was naar het noordelijk gebied buiten Goma gevlogen en zou daar plekken bombarderen waar rebellen hun posities hadden ingenomen. De bom ontplofte echter toen het toestel boven een van de buitenwijken van Goma hing. Hadden Espérance en Sara niets gehoord over de twee doden die waren gevallen? Sara schudde haar hoofd. Ze vroeg aan Prince of Centre Uhakika zich in dezelfde buitenwijk bevond, maar dat wist hij niet. Hij wist alleen dat de rebellen steeds meer dorpjes ten noorden van Goma veroverden en dat de VN het regeringsleger hielp om bombardementen uit te voeren. Zwijgend pakte Espérance Nicolas bij de schouder en liep weg om hem naar bed te brengen.

Bij het licht van de petroleumlamp vlocht Espérance later die avond tassen. Sara keek naar de gekleurde plastic stroken en de bewegende vingers. Radiomuziek waaide vanuit de straat naar binnen. Plotseling verlangde ze naar het kraken van bamboestammen, het ruisen van het Kivumeer en het gefluit van vogels. Hier was geen enkele boom te bekennen, en geen vogel die zich waagde tussen de krotten van golfplaten. Of het moest een kraai zijn die in menselijke uitwerpselen zat te pikken. Prince' huisje stond vlak bij een moskee waar voor dag en dauw al herrie werd gemaakt. En was de mannenstem uitgezongen, dan waren er wel brommers of radio's die van zich lieten horen.

De woning van haar broer was ingeklemd tussen tal van andere bouwsels. Sara wilde naar buiten om onder de blote hemel sterren te kijken. Dat was de enige manier om lucht te krijgen. Maar 's avonds zaten ze meestal binnen met de deur in het hangslot, omdat Prince had gewaarschuwd voor dronken mannen en prostituees die op geld uit waren.

Het beeldschermpje van haar telefoon flikkerde. Ze greep ernaar en keek. Het werd wazig voor haar ogen. Had ze het goed gezien? Ze keek en herkende zijn nummer.

Sultan.

Hoe kwam hij aan haar nummer? Of had hij vaker contact met Prince omdat het mobieltje van haar broer was?

Als ze het nummer wegdrukte, zou hij weten dat ze had gezien dat hij belde. Ze moest hem gewoon af laten gaan. Ze legde haar hand om de mobiel, maar hij maakte nog evenveel herrie. Toen vijf keer dezelfde ringtoon klonk, keek Espérance geërgerd op. Sara stond op en rommelde aan het hangslot om naar buiten te gaan.

'Je blijft hier, het is veel te onveilig buiten!' zei Prince kortaf.

'Ga maar achter het zeil zitten als je wilt bellen,' zei Espérance.

'Ik wil helemaal niet bellen!' riep Sara. Ze gaf een duw tegen het slot zodat het met een bons tegen de golfplaten deur aankwam.

'Druk hem dan weg, we hebben last van die herrie,' zei Espérance, terwijl ze zich vooroverboog om een nieuwe plastic strook te pakken.

'Ik maak zelf wel uit of ik zijn nummer wegdruk!'

'Sará, luister naar wat mijn vrouw zegt!' zei Prince. Sara hoorde dat hij de klemtoon op de laatste lettergreep van haar naam legde. Dat deed hij als kind al wanneer hij boos was.

Ze zweeg en kneep in haar mobiel alsof ze hem zo het zwijgen kon opleggen.

'Zijn nummer? Het is dus een jongen!' meesmuilde Espérance.

Juist op het moment dat Prince zei dat zijn vrouw moest ophouden, stopte ook de ringtoon.

's Avonds in bed rolde Sara van haar ene op haar andere zij. Ze zag beelden van Claude die op zijn gitaar tokkelde en voelde zijn hand op haar bovenarm. Ze hoorde een helikopter grommen en zag bommen vallen. Onder de explosies ving ze flarden van haar moeders stem op, die over het vertrek van Sultan naar Goma vertelde. Later zette ze haar handen in haar zij en concentreerde zich op haar ademhaling. Ze had vroeger van haar vader geleerd om bij elke uitademing de handen langzaam naar elkaar toe te bewegen. Het had altijd geholpen wanneer ze moest optreden. Maar ze wist ook dat ze er rustiger van werd. En misschien hielp het tegen nachtmerries. Terwijl ze door haar mond uitademde, dacht ze aan Espérance. Devote had gevraagd of ze op haar wilde letten, want er was iets aan de hand. Ze had vandaag niets vreemds gemerkt, al vond ze het kapotmaken van haar bonengezicht een gemene streek. Maar verder was Espérance gewoon Espérance, even nukkig en onaardig als altijd.

Wat was er met haar schoonzus? Ze had het aan Devote gevraagd, maar die wilde niets erover zeggen. Misschien kon ze Espérance een keer schaduwen op de markt. Maar dat moest dan wel uitkomen met haar werktijden bij het medisch centrum. Haar moeder had haar vaak bestraft omdat ze te nieuwsgierig was, maar ze was nu eenmaal dol op het ontdekken van dingen. Ze duwde de opgevouwen kleren in de kussensloop tot een bol en wilde haar hoofd erop leggen toen ze gefluister hoorde. Sara kwam omhoog en hield haar oor tegen het zeil. Aan de andere kant hoorde ze Prince met Espérance praten. Het zeil boog naar voren toen er iets tegenaan werd gegooid. Ze deden vast hun kleren uit. Sara kneep in haar vingers en wenste dat ze een vogel was die zomaar door het dak kon breken en weg kon vliegen. Ze hoorde Espérance nee zeggen en nog meer, maar dat kon ze niet verstaan. Prince' lage, fluisterende stem mengde zich met het geritsel van een laken. Daarna klonk er weer het 'apana', op klagerige toon. Sara sloeg de armen om haar lichaam heen en warmde zichzelf.

Ze dacht aan Espérance. Ze was niet alleen, hoefde niet voor zichzelf te zorgen, was getrouwd met een man die zijn inkomen niet verdronk en had bovendien twee prachtige kinderen. En wat had zij zelf? Ze miste haar ouders en het eiland. Ze leefde bij de gratie van Prince en mocht op zijn inkomen eten en slapen. Haar salaris bij Centre Uhakika was maar dertig dollar per maand. Ze zou nog maanden van Prince en Espérance gebruik moeten maken, wilde ze genoeg gespaard hebben om zelfstandig te kunnen wonen en studeren. Kon ze zolang de nukken van Espérance verduren?

Ze verschoof zich op haar zij en dacht aan de vrouw van Prince. Waarom had Espérance wél mogen kiezen met wie ze wilde trouwen? Sara rolde op haar buik en herinnerde zich baba's woorden. Ze zou de dag waarop ze haar ouders afgeluisterd had nooit vergeten.

Op een drafje liep Sara naar huis. Ze dacht na hoe ze vijf dollar bij elkaar moest zien te krijgen. Elke leerling zou dit bedrag aan het feestcomité geven dat er sucres en Primusbier voor ging kopen. Ook zou er gekookt worden voor alle leraren, buren en familieleden die het feest van de diploma-uitreiking zouden bijwonen. Zoals altijd in juni was de visvangst mager. Moeder mopperde vaak op baba als ze zijn jutezak inspecteerde. Hij antwoordde steevast dat de prijs van de vis juist hoger was in het droge seizoen en dat het best meeviel met de opbrengst. Maar moeder was beter in rekenen en telde de hoeveelheid vis in de zak en trok daar het benodigde schoolgeld van af.

Sara duwde het gordijntje in de deuropening opzij en stapte naar binnen. Het was stil in het huisje. Moeder was op het land aan het werk en baba sliep waarschijnlijk om vannacht weer te kunnen vissen. Ze schopte haar slippers uit en liep op haar tenen naar de hoek van de kamer. Op de grond stond een teil met een oud laken erover. Ze duwde de lap weg en tilde het deksel van de pan in de teil op. Ze keek. Had Heri nu echt alles al opgegeten? Hij wist toch dat ze uit school zou komen en moeder had gezegd dat ze het restje van gisteren eerlijk moesten delen. Het gebeurde de laatste tijd steeds vaker dat haar broertje eerder uit school was dan zij en dat hij de pan leeg at voordat zij thuis was. En ook al maakte ze steeds meer haast, toch was hij haar elke keer te vlug af. Ze streek over haar maag en dacht aan de buurvrouw. Misschien kon ze vandaag een oliebol krijgen als ze het slim aanpakte.

Toen ze zich omdraaide om de kamer uit te lopen, zag ze iets onder de visserstrui van haar vader liggen. Ze liep erheen en trok het tevoorschijn, het was een stuk papier met tekeningetjes. Schrijven kon hij amper, rekenen wel als hij er plaatjes bij tekende. Op het vel waren twaalf cirkeltjes getekend. Tien ervan hadden pijltjes naar de letter D en twee naar andere letters. Daaronder zag Sara een tekening van een pagne met de letter N en een vest met een streep naar de letter D. Onderaan het vel waren jerrycans en kratten getekend (boven het eerste krat had hij twaalf flessen geschetst, zo nauwkeurig was hij wel). Sara tuurde naar het papier. Wat betekende dit? Ze sloop met het kladje naar de deuropening om beter licht te hebben. Ze telde vijftien jerrycans en twaalf kratten en vroeg zich af wat de letters betekenden. Toen schoot haar iets te binnen waardoor haar hart sneller begon te kloppen.

Baba was trots geweest toen ze vertelde dat ze alle vakken had gehaald om het diploma te krijgen. Op dezelfde dag had hij haar zomaar een dollar in handen gedrukt om een flesje Fanta te kopen. Ze had het briefje tussen haar buik en pagne gestopt. Wist haar vader niet dat ze er wel twee sucres voor kon kopen? Toen had ze hem opeens over nieuwe netten horen praten. Hij had iets gezegd over een investering, en dat hij die goed kon gebruiken voor zijn pirogue. Sara had hem niet begrepen. Het was Nsimire geweest die haar later duidelijk had gemaakt dat ze binnenkort meer geld waard zou zijn. Ze had haar vriendin aangestaard. Leverde haar diploma echt extra geiten op als ze later met een man zou trouwen? Ze had zich verward gevoeld. Was baba trots op haar schoolprestatie, of ging het hem vooral om het geld dat hij zou krijgen?

Sara tuurde nog eens naar de tekeningetjes voor haar. De cirkels waren twaalf geiten! Tien wezen immers naar de letter D, van Dieudonné, haar vaders naam. Daarna wist ze ook wat die andere letters waren. Het waren de namen van haar oom en tante, Ndeke en Regina, die twee geiten zouden krijgen. Sara veegde met een klamme hand langs haar neus. Was baba echt bezig met haar bruidsschat? Ze was nog maar zestien! En met wie zou ze dan moeten trouwen? Toch niet met Sultan? Haar vader wist toch wat er was gebeurd? Ze keek naar de tekening van de pagne en het vest. Nu begreep ze ook de letter N, de lap stof zou naar Nyota, haar moeder, gaan. Het vest zou baba dus krijgen. Hij wilde ook vijftien jerrycans en twaalf kratten hebben. Die bidons zouden vast gevuld moeten zijn met water, dat was altijd zo. En die kratten? Zou hij Primusbier willen of gewoon sucres? Ze keek naar het schetsje, maar uit niets bleek wat hij bedoelde.

Op dezelfde avond luisterde ze haar ouders af die in de veronderstelling waren dat ze in bed lag. Baba had het weer over nieuwe netten. Sara hield haar adem in toen ze de naam Sultan hoorde vallen. Moeder zei dat Sultan geen partij voor haar was, ze was nog veel te jong. Sara hoorde aan haar stem dat ze gespannen was. Baba zei daarop dat Sultan nog genoeg tijd had om te sparen voor de bruidsschat. Toen werd hij boos. Hij had het over de eer van zijn dochter en dat Sultan daarvoor verantwoordelijk was. Moeder zei dat niemand iets van het voorval wist.

Later klonk er gefluister. Sara wipte op haar tenen. Ze hoorde moeder 'nee' zeggen. Daarna verhief baba zijn stem en zei dat Sultan had gezegd dat hij met hun dochter wilde trouwen. Moeder protesteerde, waarop baba haar terechtwees. Sara hoorde zijn stem uitschieten toen hij vertelde dat de jongen hem onder druk had gezet. Moeder zei dat hij zachter moest praten. Er klonk een bons. Schopte baba tegen de muur? Het volgende moment hoorde ze hem roepen dat binnenkort het hele eiland zou horen dat zijn mtoto geen maagd meer was. Moeders stem mengde zich erdoorheen. Even was het stil. Daarna klonk er gesnik. Baba had het over dreigementen die Sultans familie geuit zou hebben. Ze boog naar voren en fronste haar wenkbrauwen. Wat zei hij over de dingen die konden gebeuren als hij weigerde haar aan Sultan te geven?

Sara slikte. Was het waar wat hij vertelde? Had Sultan hem onder druk gezet, omdat hij met haar wilde trouwen? Op haar tenen liep ze terug naar bed. Vanaf dat moment wist ze dat er maar één manier was om zich hieruit te redden. Vluchten.

De avond voor haar vertrek, een jaar later, moest ze bij haar vader komen. Hij kuchte en zocht naar woorden. Toen pakte hij haar arm en keek haar aan.

'Ik moet als baba aan jouw toekomst denken,' zei hij. 'Je gaat naar de overkant om te studeren en dat is goed. Maar je weet ook dat je geen andere man meer kunt toebehoren om... om datgene wat is gebeurd.' Hij keek haar ernstig aan. 'Beloof je me dat je na je studie terugkomt en met Sultan trouwt?'

Haar lippen zeiden ja. Maar ze wist op dat moment al dat ze baba nooit meer onder ogen kon komen.

Sara hoorde iemand aan de andere kant van het zeil zwaar ademen. Waarschijnlijk was Prince of Espérance in slaap gevallen. Ze trok het laken over zich heen en rolde op haar rug. Ze sliep bijna toen ze iemand over de grond hoorde sluipen. Ze kwam overeind en klemde haar armen om haar borsten. Wie was dat? Er werd aan het hangslot gemorreld en korte tijd daarna werd het stil. Sara pakte haar mobiel en scheen met het beeldschermpje de kamer in. Er was niets te zien. Ze stond op van het matras en liep naar de deur. Het hangslot bungelde geopend aan de deurklink, verder kon ze niets vreemds ontdekken. Bij het terug naar bed gaan schoof ze het zeil een beetje opzij. Espérance lag op haar zij te slapen.

Maar Prince was er niet.

De volgende dag werd ze meerdere keren door Sultan gebeld. In het medisch centrum kon ze haar mobiel moeilijk laten rinkelen, dus drukte ze het nummer telkens weg. De doordringende tonen werkten op haar zenuwen. Ze duwde op de functieknop om het geluid uit te schakelen, hoewel ze wist dat hij kapot was. Waarom had Prince haar geen betere mobiel gegeven? Toen Sultan aanhield, liep ze naar buiten, nam de telefoon op en riep dat hij moest ophouden met haar lastig te vallen. Ze hoorde veel geruis op de achtergrond en vroeg zich af waar hij zich bevond. Misschien zat hij achter op een brommer of was de lijn slecht.

'Sara, niet boos worden, ik wil je alleen maar even spreken!' hoorde ze Sultan roepen. Daarna klonk er gepiep en verdween het geruis.

'Ik wil niet met je praten, Sultan. En ik wil ook niet dat je me belt!'

'Maar *chérie*...'

'Ik ben je liefste niet!'

'Toe, ik wil je graag zien. Kunnen we niet wat drinken in een bar?'

'Nee!' Ze dacht aan de vele sucres die ze samen gedronken hadden en toen aan dat andere wat er was gebeurd. Ze moest hem kwijt zien te raken, anders zou hij weer gebruik willen maken van haar lijf en misschien zelfs ook van haar geld.

'Kan ik je echt niet ergens ontmoeten?'

'Nee, ik wil je niet zien.'

'Ik heb veel nagedacht over die zondag dat...'

'Welke zondag?' Sara wilde hem bewust tergen.

'Nou, dat ik...' hij stopte, 'dat ik je dwong om seks met mij te hebben.'

'O ja, heb je veel nagedacht? Nee maar!'

'*Dada mpenzi*, wil je mij vergeven?'

Sara wilde dat ze in zijn ogen kon kijken. Ze dacht aan de keren dat hij haar borsten had bevoeld. Toen had hij haar ook aangesproken als liefste. Hij deed dat alleen als hij wat van haar wilde.

'Zoek in vredesnaam maar een andere chérie!' Zonder zijn antwoord af te wachten, drukte ze zijn nummer weg.

De dagen erna vulden zich met schoonmaaktaken in Centre Uhakika. Sara sjouwde jerrycans en liep talloze keren heen en weer tussen de waterkraan aan de doorgaande weg en de verloskamer. Faida wilde per dag tien volle bidons van twintig liter hebben en soms dacht Sara dat ze het verkeerde baantje had aangenomen. Ze had bij supermarkten en andere ziekenhuizen navraag gedaan, maar nergens was werk te vinden. Toen had ze zich er maar bij neergelegd dat ze een zere rug boven op haar maandsalaris kreeg. Ze was blij dat ze alleen uniformen hoefde uit te wassen. Lakens waren er niet, omdat de patiënten gewoon op de kale matrassen sliepen. Soms werd ze door Faida naar de stad gestuurd om nieuwe injectienaalden en medicijnen te kopen, dat vond ze het leukste aan haar werk.

Op een dag stapte ze uit een taxibusje bij de rotonde met de voetbal erop. Terwijl ze het laatste stuk naar huis liep, keek ze naar kleurrijke pagnes die aan houten stokken voor de winkels hingen. Ze zou dolgraag een nieuwe rok willen laten naaien, maar wist dat ze moest sparen voor haar studie. Een jongetje in gescheurde kleren tikte op haar arm en bedelde om wat Congolese francs. Sara zag dat hij aan zijn andere hand een oude blinde man vasthield. Ze schudde haar hoofd en het stel liep sloffend verder. Verderop hing een knul uit een taxibusje en riep: 'U-L-P-G-L, U-L-P-G-L!' Sara wist inmiddels wat die code betekende, maar ze hoefde niet richting de universiteit. Toen ze de doorgaande weg achter zich liet en een zijstraatje in wilde slaan, hoorde ze een brommer achter zich piepend remmen. Ze deed een stap opzij en keek over haar schouder. Achter de motard kwam een jongen tevoorschijn. Ze keek goed, draaide zich om en trok haar rok wat omhoog. Onder het lopen bedacht ze dat hij niet mocht weten waar ze woonde. Ze dook het eerste steegje in dat ze tegenkwam, maar hoorde iemand achter haar.

'Sara, luister!' De stem klonk hijgend.

Ze rende en ontweek spelende kinderen en vrouwen die op straat hun tomaten uitstalden. Toen ze steek in haar zij kreeg en vele straten doorkruist had, vroeg ze zich af hoe lang ze het vol zou houden. Ze moest hem misleiden en vooral niet laten merken dat ze haar vaste punten in de wijk niet meer herkende. Ze keek over haar schouder en zag dat ze een voorsprong had. Een man met een volgeladen loopfiets liep twintig meter achter haar. Pas een stuk daarachter zag ze de rode baseballpet. Aan haar rechterhand was een smal paadje tussen rijen huisjes, waarop Sara verder rende. Als ze geluk had, had hij niet gezien dat ze een zijstraatje in was gedoken. Ze liep onder een overkapping van golfplaten waarop kleren lagen te drogen. Op het moment dat ze haar rok wilde optillen om haast te maken, zag ze dat het pad doodliep. Ze hijgde en keek om haar heen. Huisjes blokkeerden de doorgang, links en rechts waren bouwsels en achter haar liep het pad naar de doorgaande weg. Ze trok aan een halfnat laken dat over de overkapping hing zodat het tot de grond reikte. Daarachter zou ze wachten, ze wist niets anders te bedenken. Zittend op haar hurken bad ze tot de Seigneur en duwde met een hand net onder haar ribben, omdat de pijnscheuten maar niet verdwenen. Langzaam werd het hijgen minder.

Ze hapte echter naar adem toen ze plotseling voetstappen hoorde. Het laken werd opzij geduwd.

'Ah, hier is mijn chérie!'

Sara draaide zich met een ruk om en zette haar handen in de zij. 'Wat doe jij hier, Sultan?'

Zijn handen grepen haar bovenarmen. 'Toe, je wilt je *kaka mpenzi* toch ook graag zien?'

Ze keek naar zijn ogen onder de schaduw van de pet en zag dat ze waterig stonden. Ze worstelde zich los en kwam overeind. 'Vanaf nu laat je me met rust!' Haar stem sloeg over.

Sultan boog zijn gezicht naar haar toe en wilde haar zoenen. Sara rook de typische lucht van Primusbier. Ze gaf hem een pets op zijn wang en gooide het laken over zijn hoofd. Toen rende ze door het steegje naar de doorgaande weg en hield een brommerjongen aan die ze aanmaande tot snelheid. Ze hoefde alleen rotonde Rutshuru te zeggen, want motards wisten alle bestemmingen in de stad.

Thuis vertelde ze niets aan Prince en Espérance. Later in bed kwamen de cirkels van blauwe vloeistof weer opdoemen en verdronk ze jammerlijk tussen schubben en scherpe visdraden.

Crucifixbruin

'Krijgt ze nu al een koorgewaad? Ze heeft amper met ons geoefend!' Agnes pruilde toen ze zag dat Claude een tuniek aan Sara overhandigde.

'Jij beslist niet of iemand zondag mee kan optreden. Dat doen de president van het koor en ik!' Claude keek stuurs.

'Ze begint soms te vroeg met zingen, zelfs als we nog maar net bewegen op de muziek!'

'Jij hebt het net zo goed moeten leren, we geven Sara gewoon wat geduld. Ik ben ervan overtuigd dat ze binnen een paar weken solo kan zingen.' Hij keek steels naar Agnes. 'Dat kan ik van jou niet zeggen.'

Om zich een houding te geven trok Sara de tuniek over haar kleren. Ze streelde het donkerbruine kruis op de stof tussen haar borsten. Voor de rest was de tuniek zandkleurig en eigenlijk te lang, ze zou zondag hakjes moeten dragen. Haar ogen gingen naar het grote, houten kruis dat aan de muur achter de lessenaar hing. Het was omgeven door lichtblauwe en witte lappen die in ronde vormen over de hele muurbreedte gespannen waren. Het leken net golven die steeds tegen het crucifix aanklotsten. De stof glansde in het zonlicht dat door de ramen naar binnen drong. Sara hief haar hoofd op en droomde dat ze op het water wegdreef.

Onder het oefenen van een nieuw lied was ze bang dat ze op het verkeerde moment zou inzetten. Ze aarzelde en keek naar Agnes, die op het ritme van de drummer met haar heupen draaide. Heel even zag ze het meisje op het zondagsschoolkoor voor zich dat haar geen plek gunde op het podium. Was Agnes vroeger ook iemand geweest die palmtakken afpakte en alle aandacht op zichzelf vestigde? Sara keek naar de bewegingen. Nog twee of drie pasjes met beide voeten, dan zou ze moeten beginnen met zingen. Kort daarna opende ze haar mond en keek gelijktijdig naar Claude die met zijn ogen seinde. Ze keek om zich heen, maar niemand had het in de gaten. Haar hart klopte sneller onder het bruine kruis en ze vroeg zich af of ze het ooit wel onder de knie zou krijgen. Agnes had gelijk, de liederen van La Semence waren te hoog gegrepen. Wie was ze eigenlijk, dat ze het lef had gehad om bij een Franstalig koor in de stad te gaan zingen? De drummer gebruikte nu ook de bekkens en het koor viel even later in. Sara zong zachtjes, omdat ze de tekst nog niet goed kende en bang was dat anderen haar fouten zouden horen. Op momenten dat ze voelde dat Claude naar haar keek, tuurde ze naar het gras dat ze door de openstaande kerkdeuren kon zien.

Toen de dienst voor zondag was doorgesproken en ze met de andere koorleden naar buiten wilde lopen, werd ze tegengehouden door Claude. Of ze even wilde wachten. Pascal, die achter het drumstel zat, moest ook blijven. Toen de rest van het koor verdwenen was, zei Claude dat ze met z'n drieën de inzet van het lied zouden oefenen. Pascal begon met verve en Sara draaide moeiteloos haar lichaam, terwijl ze links en rechts uitstapjes maakte met haar voeten. Ze keek naar Claude, die demonstratief uit het raam keek terwijl hij zijn gitaar bespeelde, en wist dat ze dit keer geen seintjes hoefde te verwachten. Ze moest zelf beslissen wanneer ze zou invallen. Toen ze voor de vierde keer op het verkeerde moment was begonnen, riep Sara in haar moedertaal dat ze totaal ongeschikt was. Pascal lachte en zei onder drumgeroffel dat ze Swahili of Frans moest praten.

'Luister, Sara.' Claude keek haar aan en streek met zijn hand over zijn kortgeknipte kroeshaar. 'Je bent te onzeker en dat hoeft helemaal niet. Volg het ritme van de muziek en van je lichaam. En luister goed naar Pascal, die bij elk nieuw akkoord drumt.'

Ze begonnen twee keer opnieuw en allebei de keren moest Claude Sara overtuigen dat ze gewoon door moest gaan. Daarna concentreerde ze zich op haar ademhaling en sloot haar ogen. Ze hoorde de ritmische akkoorden en gaf zich over aan de muziek. Toen ze de eerste regel zong, hoorde ze dat Pascal het ritme versnelde. Plotseling stopte ze abrupt omdat ze de woorden niet meer wist.

'Ik schrijf de tekst voor je op, maar neem het papier morgen niet mee naar de dienst!' Claude pakte een schrift uit zijn tas en gebaarde naar Pascal dat hij het drumstel op kon ruimen. Sara verontschuldigde zich dat ze zo weinig Franse liederen kende.

Claude zweeg en schreef. Daarna keek hij op van zijn schrift. 'Heb je weleens visarenden boven het meer zien zweven?'

'Nee, nooit.' Sara's mondhoeken gingen omhoog toen ze aan het vogelrijke eiland dacht.

'Je weet dat ze niet bang zijn dat ze in de golven storten. Ze gebruiken gewoon het ritme van de wind. Dat moet jij ook doen, alleen dan op muziek.' Hij scheurde het volgeschreven vel uit het schrift en gaf het haar.

Sara wees naar de muur achter de lessenaar. 'Het zijn net golven, hè? Het kruis wordt bijna overspoeld!'

Claude gooide zijn hoofd achterover en lachte zijn brede

witte tanden bloot. 'Yesu kan niet verdrinken,' zei hij terwijl hij Sara's bovenarm pakte. 'En jij ook niet.'

'O ja, hoe weet je dat?' Haar ogen stonden fel.

'Ik heb eens een klein visarendje omlaag zien duikelen, maar net voordat hij in het meer plonsde, schoot hij omhoog de lucht in.'

'Nooit geweten dat vogels naar vis moeten leren zoeken?'

'Ik ben nu eenmaal niet op een eiland geboren zoals jij.' Zijn ogen boorden zich in de hare. 'Maar jouw lichaam danst en zweeft als een vogel... En dan heb ik het nog niet eens over je prachtige stem.'

'Ik ben geen vogel!' Sara duwde de hand van Claude van haar arm. Haar stem echode in de kerk. Het leek alsof haar voeten van de grond kwamen en de wind langs haar lijf gleed. Ze dacht aan vrijheid en aan vogels, terwijl op de achtergrond haar jawoord aan baba verbitterd resoneerde. Haar toekomst als getrouwde vrouw kon ze niet ontlopen. Het kon niet. Sultan was immers in Goma?

'Jawel hoor. Je vliegt nu nog laag als zo'n vogeltje met zwart-witte vleugels, maar binnenkort zweef je als een gracieuze visarend hoog boven de golven. En ook nog eens op het ritme van Pascal!' Toen liep hij lachend weg.

Die avond zong Sara het lied vanaf het geschreven blad. Onder de laatste regel was een dansend meisje getekend dat opgetild werd door een beest met reusachtige vleugels. Het meisje had een uitdagende lach op haar gezicht. Maar Sara keek vooral naar de klauwen van het beest, er zat zelfs haar op dat in fijn gearceerde streepjes was getekend. Ze dacht aan Claude en huiverde. Zijn ogen waren langs haar lichaam gegleden terwijl ze had gezongen. Ze dacht aan de brutale blik van de DGM-beambte op de dag dat ze in Goma was aangekomen. Claude had ook gekeken, maar minder gevoelloos en opvallend. Hij was vooral aardig geweest. Maar mannen die aardige dingen tegen je zeiden, kon je niet vertrouwen.

De volgende dag smeerde Sara haar huid in met olie en bekeek zichzelf in de spiegel. Ze vroeg aan Espérance of het koorgewaad goed over haar enkels viel.

'Het is een veel te wijd ding! Je verspilt trouwens je tijd door naar die kerk te gaan. Daar gaan alleen maar mensen heen die rijk zijn en neerkijken op het gewone volk.' Espérance bukte en pakte de zoom aan de onderkant.

Sara hoorde haar iets mompelen over duur katoen voor slechte kwaliteit. Ze had echter gezien dat haar schoonzus onder het bukken bewonderend naar het geborduurde kruis had gekeken en liep tevreden weg. In de kerk schoof ze in de bank die speciaal voor het koor was gereserveerd. Even later keek ze met verbazing naar letters op de muur die uit een zwart apparaat leken te komen. Ze volgde de bundel licht, maar begreep niet waar *Je crois à Dieu tout puissant* vandaan kwam. De gemeente was al een regel verder in het opzeggen van de geloofsbelijdenis en snel vervolgde Sara het credo. Daarna werden er parafrases uit een psalm voorgelezen en knielde de gemeente neer om schuld te belijden en voor veiligheid te bidden. Terwijl naast en achter haar luidruchtig met de Seigneur gesproken werd, dacht Sara alleen aan haar mobieltje. Dat moest ze hier voortaan mee naartoe nemen, dan kon ze het gratis opladen! Natuurlijk moest ze dat onder de repetities doen, onder de dienst kon dat niet.

Toen La Semence aan de beurt was om op te treden, liep Sara achter de koorleden aan. Pascal knipoogde naar haar terwijl hij de eerste roffels op de drum liet horen. Even later draaide ze haar onderlichaam en armen op de muziek. De vrouw die ze de eerste keer solo had horen zingen, zette in.

Even later seinde Claude dat ze moest invallen en samen met het koor beantwoordde ze de woorden. Onder het zingen keek Sara naar de starende blikken van de mensen. Toen ze er genoeg van had, draaide ze haar hoofd weg en tuurde naar de hand van Claude, die stevig de gitaar bespeelde. Haar ogen kropen omhoog en keken naar zijn gladgeschoren gezicht. Ze dacht aan Sultan. Zijn kin en wangen hadden altijd geprikt. Claude had een smallere neus en minder borstelige wenkbrauwen. Plotseling keek hij omhoog van zijn gitaar, recht in haar ogen. Sara begon te gloeien terwijl ze haar tuniek onhandig gladstreek. Toen ze met het koor terugliep naar de kerkbank keek ze naar haar hakjes.

'Mooi gezongen, dada!'

Sara dacht aan golven, een kruis, een apparaat waaruit letters kwamen, de microfoon waarin ze moest zingen en aan Sultan. Van heel ver klonk er applaus. Op het moment dat ze opzij keek, schrok ze. Claude was naast haar komen zitten.

Ze schoof dichter naar haar buurvrouw, maar hij pakte haar hand en zei dat ze niet bang moest zijn. Ze trok haar hand terug, maar hij hield hem vast. 'Denk aan de vogel,' fluisterde hij.

Een gemeentelid werd naar voren geroepen om voor de preek te bidden, maar Sara kon hem niet goed verstaan. Een man, die pasteur Joshua bleek te zijn, ging achter de lessenaar staan en had het over de Créateur die de hemel als een doek ontrolde. Ze hoorde hem zeggen dat die pagne door God gebruikt werd als huis om in te wonen en vroeg zich af hoe dat eruit zou zien. Yesu en de engelen woonden vast niet onder golfplaten, maar zweefden op muziek onder een enorme lap stof waaronder iedereen mocht dansen en sucres drinken. Er was ook wind, want de pagne moest natuurlijk wel bol staan en klapperen. Ja, zoiets moest het vast zijn. Sara rukte haar hand los en bladerde in haar bijbeltje. Toen ze aan haar buurvrouw vroeg om welk hoofdstuk het ging, trok Claude het boekje uit haar handen. Ze keek neer op zijn donkere hoofd terwijl hij de bladzijdes omsloeg. Een wazige oranje streep kwam voor haar ogen. Ze greep de bijbel en zei dat ze hem niet nodig had, waarop hij fluisterde dat ze het Frans snel genoeg zou leren. Ze had alleen wat hulp nodig.

'Hulp?' Sara's stem vloog omhoog.

Haar buurvrouw schoot naar voren en zei dat ze niet moest praten onder de preek. Claude pakte het bijbeltje, bladerde opnieuw en liet haar een stukje lezen over God die een tent uit elkaar vouwt. Sara dacht aan witte zeilen in vluchtelingenkampen. Prince had gezegd dat vlak bij Goma ook kampen zijn. Van ver klonk Joshua's stem. Hij had het over een grote troon onder de hemel waarop de Seigneur zat en over mensen die zo klein waren als sprinkhanen.

'Zou Lulema echt onder zo'n wit zeil wonen?' fluisterde ze. 'Alles is daar toch van goud?'

Claude keek wel haar kant op, maar leek iets heel anders te zien. Zijn ogen staarden in de verte, alsof achter haar lichaam zich een andere dimensie bevond. Het bruin rond de irissen glansde. Hij zweeg, waarop Sara de rest van de dienst over de gitarist peinsde, maar vooral over die raadselachtige profeet uit de Bijbel die zomaar om het hoekje van de hemel had gekeken.

'Kijk, die tent is een beeld, maar wij mensen weten niet in wat voor huis God woont.' Claude lachte toen hij na de dienst met Sara praatte. 'Misschien is het inderdaad wel een gouden paleis!' Daarna werd hij stil, keek haar peilend aan en zei iets over Yesu die zich niet zou interesseren voor al dat goud. 'Als sambaza liet Hij zich in de val drijven, Hij spartelde niet eens.'

Sara moest denken aan de nacht dat ze met haar vader had mogen vissen. Ze had naar het gekronkel van de visjes gekeken. Later was er geen beweging meer in het opgehaalde net geweest. Toen had ze minutenlang het maanlicht met haar ogen gevolgd dat het wit van de schubben deed glanzen. Ze rook de geur van verse vis terwijl ze aan Jezus dacht.

Met een armzwaai gebaarde Claude naar het crucifix achter hem. 'Hij liet zich aan hout spijkeren, dat kun je je toch niet voorstellen?' Zijn ogen kregen dezelfde vochtige glans als onder de dienst. Hij greep haar hand. 'Blijf zingen, dada. Alsjeblieft!' Daarna liep hij weg, met de gitaar onder zijn arm geklemd.

's Middags zat Sara op haar hurken achter een kookstelletje aan de zijkant van het huis. Ze porde in houtskooltjes die oranje kleurden door de hitte. Espérance had haar opdracht gegeven water te koken, omdat Prince had gezegd dat de kip vet genoeg was om op te eten. Ze dacht aan haar broer die binnen naar de radio luisterde. Haar vader slachtte kippen altijd zelf, dat vond hij geen werk voor vrouwen. Prince deed niets, hij had alleen gezegd dat het eten over een uur klaar moest zijn omdat hij weg wilde. Sara stond op en keek naar het water dat begon te borrelen. De stukken kip kon ze bijna schoonmaken als haar schoonzus op schoot. Ze liep naar binnen om rijst en bonen te halen, omdat zondag de enige dag was dat ze geen ugali aten. In het licht van de deuropening zeefde ze steentjes uit de rijst, terwijl ze naar Espérance riep dat de kip geslacht moest worden. Daarna pakte ze de jerrycan en een pan om rijst te koken. Toen ze het gordijntje opzijschoof om naar buiten te lopen, hoorde ze de kip tekeergaan. Bij baba jammerde een kip maar heel even voordat haar hals met een snelle haal werd doorgesneden. Dit was anders. Ze liep om de hoek van het huis en keek. Espérance zat gehurkt bij het kookstelletje. Ze had het beest ondersteboven bij de poten beet en liet hem in het water zakken. Daarna trok ze aan de poten, zodat de kop even boven het water bungelde, om hem daarna weer neer te laten. Tussen de hete onderdompelingen door worstelde de kip om los te komen, terwijl haar gekakel steeds zwakker klonk.

'Wat doe je nou?' Sara rende op de pan af en rukte het beest uit de handen van haar schoonzus. Ze bukte zich en raapte het mes op dat naast het kookstelletje lag. Met haar ene hand pakte ze de kop vast, met de andere sneed ze. De kip draaide piepend haar nek weg, maar Sara sneed door. Met felle halen, maar het mes weigerde dienst. De kippenkop in haar hand gloeide van het hete water uit de pan en heel even dacht ze hem los te moeten laten.

'Toe, laat mij het doen.' Espérance' stem klonk laag van emotie.

Sara zag druppels zweet op haar voorhoofd, maar keek vooral naar haar ogen, die broeierig stonden. Op het moment dat haar schoonzus haar tong uit haar mond stak en met trage bewegingen haar speeksel uit haar mondhoek likte, rechtte Sara haar schouders, zette kracht en hakte de kop los van de romp. Ze zou haar eerste portie vlees in Goma niet mislopen.

'Waarom heb je zo veel haast? Waar ga je eigenlijk naartoe?' Sara keek onder het eten vragend naar Prince.

'Dat gaat je niets aan.' Hij keek haar aan. 'Als je zo nieuwsgierig blijft, kom je nooit aan een man.' Heel even leek hij op het jongetje van vroeger, dat vliegensvlug dingen verzon om haar ouders af te leiden. Met een boog gooide hij een afgekloven kippenbot in de pan.

'Daarom is die relatie met Sultan natuurlijk van de baan!' Espérance grinnikte terwijl ze vanuit haar ooghoeken Sara observeerde.

Sara zweeg en schonk haar schoonzus slechts een koele blik. Alleen haar vingers, die nerveus het vel van een bot trokken, verrieden haar emoties.

'Je gaat te ver, Espérance. Enfin, dit is niet het goede moment.' Prince stond op en keek naar zijn zusje. 'Je hebt mijn schoenen niet gepoetst, wat ik wel had gevraagd.'

'Nou zeg!' Sara keek verontwaardigd. Vroeger kon hij al op bazige toon iets zeggen, maar dit keer zou ze van zich afbijten.

'Ze is toch druk geweest met de kip?'

Sara hoorde een ironische ondertoon in Espérance' stem, maar zweeg.

Toen Prince weg was, schrobde ze de pannen. Ondertussen sorteerde Espérance haar voorraad maracuja's, de kleine Marie in een doek op haar rug geknoopt. Later die middag waste Sara het meisje in een teil naast het huisje. Ze zong versjes en verstopte haar gezicht achter haar handen waarna Marie het uitschaterde. Terwijl ze het spelletje herhaalde, zag ze dat een buurvrouw het huisje van haar broer binnenstapte. Sara zette Marie op haar billen in de teil en sloop naar het gordijntje in de deuropening. Ze hoorde een krukje over de vloer schuiven en een zachte stem. Even later klonken er kreten en klakkende tonggeluiden. Marie begon te jengelen en wilde uit het water. Sara liep er vlug heen en tilde het natte kind omhoog in haar armen. Terug bij het gordijntje ving ze flarden op van Hutu-rebellen en FDLR. Sara ergerde zich aan het overdreven toontje van de buurvrouw.

Een stroompje warm vocht liep langs haar rechterheup. Ze wist eerst niet wat het was. Toen ze zurige urinelucht rook, zette ze Marie terug in de teil. Met vlugge halen waste Sara haar en gaf het nog druipende kind binnen aan Espérance. Achter het zeil pakte ze een lap stof om af te drogen en een wollen babypakje.

'Wil je dat ik Marie dit aantrek?' Op hetzelfde moment kreeg Sara spijt van haar vraag. Espérance had haar armen om haar borsten geslagen en wiegde haar bovenlijf met trage bewegingen heen en weer. Ze keek naar de babykleding met lege, uitdrukkingsloze ogen.

'Wie heeft dat gebreid? Het is geen wol uit Goma!' De buurvrouw stond op en trok met haar nagels aan een wollen draad.

'Familie van Espérance,' zei Sara stug. Ze onderdrukte haar neiging om de kleertjes uit de handen van de vrouw te rukken. Moeder had vroeger vaak gezegd dat ze beleefd moest zijn tegen buurvrouwen, maar dat ze nooit eten mocht aannemen behalve van de vrouw die oliebollen bakte. Pas later had ze begrepen dat vijf huisjes verderop een vrouw woonde die hekserij bedreef. Er gingen verhalen dat ze gif door de sombe had gedaan om een man te doden. Baba had er niet veel van geloofd. Sara keek naar de nagels van de buurvrouw en voelde zich misselijk worden.

'Maak jij je echt druk om soorten wol en babypakken terwijl er gisteren vrouwen zijn meegenomen de *brousse* in als seksslavin?' Espérance was opgestaan en snoof verontwaardigd. 'Misschien zijn het wel mijn vriendinnen!'

Sara hield haar adem in toen Espérance op de buurvrouw afliep en de babykleding uit haar handen rukte. Ze wilde iets roepen. Maar toen ze naar het verbeten gezicht van haar schoonzus keek, hield ze haar mond.

'Je bedriegt me niet hè, omdat ik van Kalehe kom?'

Espérance priemde haar wijsvinger in de richting van de buurvrouw. Toen balde ze haar vuisten. 'Ik moet het weten, ik moet zekerheid hebben!' Ze vervloekte God, terwijl ze Sara smeekte om met haar mobiel te mogen bellen omdat ze zelf geen unités had. Sara dacht aan de belminuten die ze van het eerste salaris bij Centre Uhakika gekocht had. Met een onwillig gebaar overhandigde ze haar mobiel. Later hoorde ze Espérance via de telefoon met een vrouw praten. Ze zei weinig en knikte af en toe alleen maar. De blote Marie op haar arm sabbelde op een duimpje.

'Natuurlijk kwamen ze toen het donker was! Dat is toch altijd zo?' Espérance' stem klonk ongeduldig. 'Zeg het nou maar!' Daarna was het korte tijd stil. 'O gelukkig, zij niet dus.' Ze zuchtte hardop. 'Hebben ze echt alle varkens en geiten van oom Sikuru gestolen?'

Sara zag dat Espérance in het armpje van Marie kneep, waarop het kind begon te huilen. Ze pakte het meisje over en zocht naar de gebreide kleertjes.

'Nadia? Is het echt waar? O Mungu, ontferm U!' Espérance kreunde en sloeg haar hand voor haar gezicht.

Sara's gedachten gingen snel. Nadia? Ze kende niemand die zo heette, maar ze kende weinig mensen uit Kalehe. Het volgende moment zag Sara Espérance tastend om zich heen grijpen. De mobiel kletterde op de grond. Sara zette haar schoonzus op een houten krukje.

Espérance ademde zwaar. Zweet drupte langs haar slapen.

'Vertel mij eens, wie is die Nadia?'

Sara kreeg oranje vlekken voor haar ogen toen ze de stem van de buurvrouw achter zich hoorde. Kon dat mens niet een hand uitsteken om te helpen? Zelf wilde ze het ook weten, maar ze vulde een plastic beker met water en gaf hem aan Espérance.

'Espie? Espie?'

Sara raapte de telefoon op en vroeg zich af wie de naam van haar schoonzus afkortte. Daarna begreep ze dat de vrouw Prince' schoonmoeder was. Vijftien vrouwen waren gisteravond verkracht. Vier daarvan waren meegenomen de heuvels in en niet meer teruggekomen. Sara keek met een schuin oog naar Espérance, die voorovergebogen zat. Zelf kon ze niet goed luisteren en ving maar flarden op. Nadia bleek een dochter van ene oom Sikuru te zijn. Vijf maanden zwanger. Verkracht. Het ongeboren leven weggesneden. Daarna met een slordige pagne omwikkeld en meegenomen, de brousse in.

Een kreet klonk. Sara keek. Espérance was van haar krukje gekomen en trok wollen draden uit het babypakje. Haar ademhaling piepte. Daarna scheurde ze de wollen stof uiteen, gooide de restanten in een hoek en riep dat Nadia toch niet meer kon breien. Toen greep ze naar haar borst en zakte in elkaar. De plastic beker viel om, het laatste restje water stroomde over haar teenslippers.

Sara's weken erna vulden zich met het sjouwen van water voor de verloskamer, het wassen van uniformen en het koken en schoonmaken voor Espérance. Tussendoor vond ze tijd om met de liederen te oefenen, maar ze zong minder uitbundig dan voorheen. Ze verzon vooral manieren om Sultan uit de buurt van hun huisje te houden en rekende elke week uit hoeveel ze had gespaard om te kunnen studeren. Sinds ze in Goma woonde, hoorde ze veel vaker berichten over plunderingen en verkrachtingen, maar het leek alsof ze eraan begon te wennen. Toen Prince op een dag thuiskwam met de aankondiging dat er in de stad een avondklok was ingesteld, was ze vooral blij geweest, omdat ze voortaan eerder kon stoppen met haar werk. Brommers en taxibusjes mochten immers na een bepaalde tijd niet meer rijden. Ze had haar schouders opgehaald toen Prince haar had terechtgewezen met de opmerking dat het instellen van zo'n regel echt niet leuk was, omdat de onveiligheid toenam. Sara droomde weg in haar eigen wereld, die vooral bestond uit de vraag hoe ze meer geld in minder tijd kon verdienen en hoe Sultan een ander meisje tegen het lijf kon lopen, zodat ze van hem af zou zijn. Op momenten dat ze bang was om te gaan slapen en dromen te krijgen, foeterde ze zichzelf uit. Soms moest ze zich tot de orde roepen als ze begon te trillen bij het horen van een naderende onweersbui, omdat het haar herinnerde aan het blauwe licht in de hut.

Op een dag, zo'n twee maanden na haar aankomst, liep Sara uit haar werk door een straatje in Birere. Omdat Espérance ziek was, had ze wat geld van haar gekregen om bonen te kopen. Aan weerszijden van het pad stonden jutezakken waarvan de bovenste randen omgeslagen waren, zodat voorbijgangers de inhoud konden zien. Sara liep er keurend langs. Ze wist dat Espérance de bonen hier altijd kocht omdat de prijs laag was. Bij één zak bleef ze staan omdat er veel klanten waren en dat meestal iets zei over de verhouding tussen prijs en kwaliteit. Een magere man riep almaar: 'Ni bei saana!' De verkoopster wilde echter niets van de prijs afdoen. Sara drong naar voren. Was de prijs echt achthonderd francs? Ze wist een markt waar het honderd goedkoper was.

'Zeshonderd!'

De verkoopster keek van wie de stem afkomstig was. Toen ze Sara zag, keek ze neerbuigend. 'Je weet best dat dit de prijs niet is.' Terwijl ze een plastic kom met bonen vulde voor een andere klant, keek ze nog eens naar Sara. 'Zo te horen kom je hier niet vandaan.'

'Ze is een schoonzus van Espérance die vlak bij de moskee woont!' Een meisje in een strakke broek dat ook bonen verkocht, mengde zich in het gesprek.

Sara zei dat dat klopte, maar dat ze bij haar bod bleef.

De bonenvrouw begon onbedaarlijk te lachen. '*Six cent francs*! Je lijkt inderdaad op haar. Ze noemt ook altijd van die lage prijzen.'

'Belachelijk laag zelfs! Toch verkoop je het altijd weer aan die vrouw uit Kalehe! Vind je haar arm of zo?' Het broekmeisje keek fel.

'Ze is marktvrouw,' zei de vrouw enkel. 'Nou, komt er nog wat van?' Ze keek naar Sara.

'Zevenhonderd.'

'*Sawa.*'

Toen Sara thuiskwam, woelde Espérance met haar hand door de bonen. 'Veel te duur!' riep ze toen ze de prijs hoorde. 'Als je op die manier vaker boodschappen voor me doet, krijg ik het geld nooit bij elkaar!' Ze stopte en draaide haar hoofd weg. 'Nou ja, ze zijn in elk geval goed droog.'

'Waarvoor spaar je dan?' vroeg Sara.

Ze hoorde iemand achter zich ademhalen. 'Als er hier gespaard kan worden, dan verminder ik het huishoudgeld!'

Sara draaide zich om en keek recht in het gezicht van Prince.

Espérance' ogen vlamden. Sara vluchtte naar buiten om op het kookstelletje eten te bereiden. Tijdens de maaltijd moest Espérance overgeven. Marie, die bij haar moeder op schoot was gekropen, zat onder het braaksel. Prince mopperde dat het stonk.

Sara stond op en waste het kind in de teil, waarna ze de vieze kleren in het water dompelde. Ze haalde schoon water en liep naar binnen om de andere was te halen. In de wasemmer lagen kleertjes en luiers van Marie, drie T-shirts van Espérance, een pagne en blouse van haarzelf en twee overhemden van Prince. Ze liep naar buiten om de menstruatielappen van de afgelopen dagen uit een emmer te pakken. Terwijl haar handen de vieze was schrobden, had ze spijt van haar opmerking die Prince had gehoord. De uitval van haar broer had Espérance niet verdiend, ook al had ze vreemd gedaan over geld. Maar misschien spaarde ze gewoon voor nieuwe schoenen of een mooie pagne?

Sara pakte een handvol Toss en gooide het in het water. Ze snoof de geur van het wasmiddel op en wilde de andere kleren wassen. Terwijl ze bukte en de was sorteerde op kleur, rook ze iets anders. Ze pakte een overhemd van Prince, hield het omhoog en stopte haar neus tussen het gestreepte katoen. Ze rook en liet zich bedwelmen door iets waarvan zij en Espérance alleen maar konden dromen.

Lavarood

Het was parfum. En dure ook, niet wat je voor twee dollar op de markt kon kopen. Sara vouwde de kraag van het overhemd open en zag zakenvrouwen voor zich die naar Dubai vlogen. Ze had zich vaak afgevraagd waar zulke vrouwen het geld vandaan haalden, maar ze kwamen altijd weer met allerlei spullen terug die ze in Goma verkochten. Terwijl ze de vettige rand van de kraag schrobde, hoorde ze Prince' stem vanuit het huisje. Daarna boende ze steeds vlugger op de was, alsof ze haar gedachten achterna wilde rennen. Er kwam een waas voor haar ogen. Wat deed dat geurtje in dat overhemd? Espérance had geen parfum, ze smeerde alleen haar huid in met olie uit een goedkoop potje. Nicolas kwam naar buiten en liep met een beker in zijn hand op haar af.

'Ik mag nooit bootje spelen van mama. Ze zegt dat water duur is. Mag ik het in jouw teil doen?'

'Nee.' Het klonk norser dan ze bedoelde. 'Als ik klaar ben met de was, goed?' Sara wrong het overhemd uit terwijl ze aan de watervrouw in Birere dacht. Vijftig francs per bidon. Ze was onverbiddelijk. Had je geen geld, dan bleef de kraan dicht. Vaak was er echter geen water en moest je naar de openbare kraan naast ziekenhuis *Heal Africa* of de grens oversteken naar Rwanda.

'Baba is niet aardig tegen me. Ik loop voor de voeten, zegt hij.' Nicolas keek bedremmeld en wees naar zijn slippers. 'Dat kan toch niet, ze zijn toch hier?'

Sara zei niets omdat ze Espérance' stem hoorde. Die stem was net iets schriller dan normaal. Een donker gebrom mengde zich met het geluid. Ze stond op en liep naar het huisje.

'Nee, niet doen! Dan wordt hij nog bozer.' Het kind rende haar achterna en trok aan haar blouse.

Sara bedacht zich en strekte haar rug. Ze hurkte bij de teil en wrong de kleren uit. Nicolas spetterde met zijn handen op het water om golven te maken. Vanuit de deuropening klonken stemmen die steeds luider werden. Ze kon nu bijna woordelijk verstaan wat er gezegd werd. Ze ving het woord 'huishoudgeld' op en de naam van het hotel waar Prince werkte.

'Niet waar, het was tachtig!'

'Zeventig! Je liegt, vrouw.'

Sara wist dat haar schoonzus zeventig dollar per maand van Prince kreeg. Alleen de laatste keer had hij haar wat extra gegeven, omdat hij meer fooi van klanten had gekregen dan normaal. Waarom loog ze? Daarna hoorde ze hen discussiëren over de prijs van houtskool en bonen. Plotseling spitste ze haar oren toen haar naam viel. Espérance' stem klonk klagerig.

'Ze eet echt niet zo veel, hoor. Ik leg haar trouwens wel een limiet op als ze te veel water gebruikt.' Ze hoorde Prince lachen. 'Vroeger was mijn kleine dada al een ijdeltuit.'

Sara slingerde natte kleren over de waslijn. Haar handen en rug deden zeer, maar dat was niets vergeleken met het gevoel dat door haar heen vlijmde. Waarom werd ze belachelijk gemaakt en gebruikt om de aandacht af te leiden, zodat het gesprek een andere kant op ging? Waarom loog haar schoonzus en wat deed Prince buitenshuis, waar zijn vrouw niets van wist? Nadat ze de was had opgehangen, liep ze terug naar de teil waarmee Nicolas aan het spelen was. Haar armen graaiden in het water zodat het begon te kolken. Ze goot water over de boot en over zichzelf. Toen sloeg ze op de zijkant van de teil en riep: 'Dag water. Dag golven!', waarna ze onbedaarlijk begon te lachen. Het jongetje lachte mee. Hij kon haar tranen niet zien die zich mengden met de druppels die uit haar hoofddoek sijpelden.

In de weken na haar eerste optreden in de kerk kreeg Sara elke zaterdag het uitgeschreven lied. Was het eerste vel nog slordig uit een schrift gescheurd, de nieuwe papieren hadden er steeds netter uitgezien. Sara vermoedde dat Claude thuis het Frans overschreef, waarvoor hij duidelijk de tijd nam. De tweede keer dat ze een meisje en een vogel zag die onder het lied waren getekend, was ze nog geschrokken. Na de derde en vierde keer niet meer. Het meisje dat op het eerste vel opgetild werd door een grote vogel, maakte op de tweede en derde tekening sprongetjes om te vliegen terwijl de vogel boven haar vloog. In de vierde week kreeg Sara een tekening in kleur waarop het meisje een vogelkop had in plaats van een hoofd. Ze vloog een stuk boven de grond, met om haar nek een rode hoofddoek waaruit felgroene en gele veren staken. Een veer was losgeraakt en viel naar beneden, evenals een slipper. Sara was vooral onder de indruk van de vogel die onder het meisje in het gras stond. De ruige strepen die als veren dienden, deden haar denken aan de snelle bewegingen van visarenden. De klauwen leken te applaudisseren. Later ontdekte ze dat het kwam door de lijntjes die ernaast waren getekend, die beweging suggereerden. Hoewel Sara zich steeds meer afvroeg of

Claude haar getekend had en ze graag wilde weten hoe het verder zou gaan met de vogel en het meisje, kreeg ze daarna geen nieuwe tekeningen meer.

Op de zondag dat ze voor het eerst solo mocht zingen, gaf Claude haar een groengeel veertje. 'Wel weer naar beneden komen hè, als je je stem vleugels geeft.' In zijn linkerwang verscheen een kuiltje. 'Niemand zal meer naar huis willen!'

'Dan had je een groter exemplaar moeten uitzoeken,' kaatste ze terug. Haar ogen streelden de kleurschakeringen terwijl ze ver, heel ver weg bamboetakken hoorde kraken en riet knisperen waarin kwikstaartjes vaak verscholen zaten. Plotseling brandde de veer in haar hand zoals de palmtak jaren geleden had gedaan. Ze verstijfde. Was het zo voorspelbaar dat het zou mislukken? Zou Agnes haar publiekelijk te kijk zetten op het podium? Was dit de dag dat iedereen haar zou doorzien, dwars door de hoofddoek heen? Met trillende handen gaf ze het veertje aan Claude en zei dat hij het voor haar moest bewaren tot na de dienst.

Toen hij vroeg of ze bang was om op te treden, vertelde Sara zomaar het verhaal over zichzelf als achtjarig meisje op palmzondag. Alsof ze zich niets aantrok van de kerkgangers die net als Claude en zijzelf moesten wachten totdat de Engelstalige dienst was afgelopen. Hij luisterde zoals alleen baba kon doen. Toch wist ze tegelijk geen raad met de stemmen in haar hoofd die allerlei dingen zeiden die haar onzeker maakten. Op het moment van optreden zong Sara in de microfoon. Halverwege het lied haalde ze hem los van de standaard om zich vrijer te kunnen bewegen. Achter zich hoorde ze getokkel op de gitaar. Iemand volgde haar op de tast, voorzichtig, alsof ze elk moment kon breken. Ze liet zich meevoeren en verwonderde zich over de reikwijdte van haar stem. Na het applaus draaide

Sara zich om en liep met de rest van de koorleden het podium af. Toen ze de bank in schoof, zag ze het pas. Een groengeel puntje. Het stak uit het borstzakje van een overhemd waarover een slordige gitaarband hing. Ze bleef ernaar staren alsof ze zich daaraan moest vastklampen om niet meegezogen te worden door een heimwee dat ze niet begreep.

Prince ging op reis. Naar Kigali, de hoofdstad van Rwanda, drie uur reizen met de lijnbus vanaf Goma. Toen ze hem had gevraagd wat hij daar ging doen, had hij enkel gezegd dat er inkopen gedaan moesten worden voor het hotel. Het kon best een paar weken duren, had hij later tegen Espérance gezegd. Sara vond het eigenlijk wel best, ze ging veel haar eigen gang en kon thuiskomen wanneer ze maar wilde. Dokter Paluku gaf haar steeds meer ruimte om naast het schoonmaakwerk ook pas bevallen vrouwen te verzorgen of verbanden te verwisselen. Soms overnachtte ze in Centre Uhakika als hij haar vroeg om bij een patiënt te blijven die in de gaten gehouden moest worden. Paluku zei nog steeds niet veel. Het was eigenlijk altijd Faida die foeterde dat er geen ambulance was om zwaargewonde mensen naar een beter ziekenhuis te brengen. Sara had de dokter maar één keer echt boos gezien. Dat was tijdens het bezoek van de inspectie.

'Ik neem aan dat u als arts hierop geen operaties uitvoert?'

Sara had de beambte laatdunkend naar de houten verlosbank zien wijzen. Toen Paluku echter knikte, schreef de man nog dezelfde morgen een verklaring dat er niet meer geopereerd mocht worden.

'Dus ik moet voortaan mensen dood laten gaan? Weet u wel wat dat betekent? Geen keizersneden, want ja, die baby's en vrouwen zijn toch niet belangrijk. Geen amputaties, want ja, die gewonden bloeden toch wel dood!' Paluku's ogen hadden vuur gespuwd.

Nadat de beambte weg was gegaan, had Sara de dokter tegen de houten wand in de verloskamer zien schoppen, waarna ze snel was weggelopen. Maar het verbod was er gekomen. Alleen in een stenen gebouw mocht geopereerd worden. Vanaf die dag spaarde Paluku voor stenen. Soms vroeg ze zich af of dat de reden was dat hij zo zuinig deed met verdovingsvloeistof. Alleen de ergst gewonden of de kraamvrouwen die helemaal uitgescheurd waren, kregen wat spul uit de witte fles. Maar ze hield haar mond, omdat Paluku een man was die niet tegengesproken wilde worden en een ander onderwerp haar eigenlijk meer bezighield: de gitarist. Sinds ze twee keer niet naar de repetities had gekund vanwege drukte in het hospitaaltje, had ze via Devote een envelop gekregen. Ze had hem opengescheurd en een tekening gevonden. Het meisje vloog nu niet alleen door de lucht, maar zat op de vogel, haar benen in een triomfantelijke kleermakerszit. Onder haar op de grond was een jongen getekend die zijn gitaar hoog boven zijn hoofd hield. Hij keek smekend, het meisje spottend. Pas 's avonds in bed had Sara een krabbel achter op het blad ontdekt. Het was in Swahili geschreven. *Ik mis je. Mag ik met je mee?*

Ze had gepiekerd over zijn boodschap. Waarheen wilde Claude met haar? De lucht in? Waarom deed hij zo cryptisch? Pas toen ze de volgende dag in Centre Uhakika aan het werk was, was de inhoud van het eerste zinnetje tot haar doorgedrongen.

Twee dagen nadat ze de envelop had gekregen werd ze gebeld door Devote op een moment dat ze alleen thuis was. Sara hoopte dat haar vriendin zou vertellen dat ze weer zwanger was, maar werd overrompeld door de vraag wat er in de envelop zat. 'Hij deed zo geheimzinnig, weet je!'

'O, het was iets van koor.'

'Echt?

'Ja.'

'Hij vroeg wel drie keer of ik ervoor wilde zorgen dat het bij jou terechtkwam en niet bij iemand anders.' Sara hoorde haar zuchten. 'Was het echt niets bijzonders?'

'Nou... er zat ook een tekening bij. Wist jij dat hij zo goed kon tekenen?' Sara's nieuwsgierigheid won het van haar wantrouwen. Ze ging op bed liggen en dacht even aan het geheim dat haar vriendin nog steeds trouw bewaarde.

'Dat hij voor zoiets onzinnigs tijd heeft. Ik zie hem elke ochtend met de brommer vertrekken. Hij werkt bij een kantoor waar ze iets met buitenlandse hulp doen, geloof ik. Ze willen zelfs dat hij daar Engels praat! En 's avonds speelt hij altijd gitaar. Soms tot heel laat, ook al heb ik vaak gezegd dat ik er last van heb. Wist je dat hij ook in een Engelse dienst vertaalt? Dat is toch in dezelfde kerk als waar jij naartoe gaat?'

Sara gaf plichtmatig antwoorden en was blij dat Devote niet vroeg wat de tekening voorstelde. Even later beëindigde ze het gesprek. Het duizelde haar. Ze had Claude nooit uit de Engelse dienst zien komen, omdat hij haar altijd opwachtte. Had hij echt gestudeerd? Daarom had hij natuurlijk van die schoenen met puntneuzen. Alle rijke mannen die geleerd hadden, droegen die. Het beeld van Sultans sportschoenen kwam voorbij. Ze veegde langs haar neus. Nu even geen Sultan.

Sultan bleef echter voor haar ogen zweven. Ze beet op haar nagels terwijl ze over hem nadacht. Ook al was hij waarschijnlijk een doodgewone visser, hij probeerde in elk geval iets van het leven te maken door een baan te zoeken in Goma. Dat hij iemand ontmaagd had, daar vroeg niemand naar. Sara rolde op haar zij en zag plotseling allerlei mannen en vrouwen uit haar leven voor zich. Ze zweefden en buitelden door en over elkaar heen, zomaar boven het rafelige voeteneinde van het matras, zich verdringend om een plekje om gezien te worden. Sara zag de buurvrouw met de oliebollen. Ze kon niet lezen en schrijven, maar was gelukkig met haar handeltje in warme *ndazi*. Aan haar arm bungelde de directeur van de school op Ishovu. Hij was al tachtig, maar had het duidelijk naar zijn zin met schoolgeld innen en meisjes betrappen op oorbellen en getekende wenkbrauwen. David, haar oudere broer, duwde de directeur opzij. Daarna verdwenen de buurvrouw, de directeur en David en zag Sara Espérance, met een mand maracuja's op haar hoofd, klagen over te weinig huishoudgeld. Ze wilde tegen haar zeggen dat ze blij mocht zijn met een eigen handeltje en dat ze getrouwd was met de man van haar keus, maar het gezicht van haar schoonzus vervaagde. Vervolgens kwam Nsimire, haar jeugdvriendin, achter een enorme naaimachine vandaan. Sara vroeg zich af of ze het naar haar zin had in het naaiatelier van haar tante en of ze nog steeds verliefd was op die jongen van wie Nsimires ouders hoopten dat ze met hem zou trouwen. De naaimachine viel op de grond en Nsimire rekte zich uit, zomaar midden in de lucht. Daarna greep ze Claude bij zijn overhemd en riep: 'Ik weet best dat je reizen gaat maken naar Europa, je werkt toch bij een buitenlands bureau?' Sara wilde roepen dat haar vriendin hem helemaal niet kon kennen en dat ze maar iets geks zei, maar Nsimire stak haar tong uit zoals ze vroeger vaak had gedaan. Op hetzelfde moment scheurde het witte zeil open en kwamen haar vader en moeder tevoorschijn. Sara zag baba neerknielen en de voeten van moeder wassen. Had ze weer een zere rug van het werken? Op de grond verscheen een pot met ugali en Sara hoorde moeder fluisteren: 'Je hoeft het niet te eten, hoor. Ik weet best dat je het niet lekker vindt,' waarop baba haar voeten kuste. Toen losten alle kleuren en vormen op, alleen de geur van het eten bleef hardnekkig in de kamer hangen.

Ze balde haar vuisten. Wat voor moois kon ze van haar eigen leven vertellen? Ze was niets waard. Het mooiste wat ze had, was vertrapt, besmeurd. Het enige wat ze kon doen, was zichzelf bewijzen door te gaan studeren en misschien later naam te maken als arts. Maar daarvoor kreeg ze nooit het geld bij elkaar, dat wist ze eigenlijk wel zeker. Trouwens, lag haar toekomst niet vast?

Ze dacht aan Claude en aan wat hij had gezegd na de dienst waarin ze solo had gezongen. 'Ik heb nog nooit zo'n mooie vrouw ontmoet. Mag ik je beter leren kennen?' Zijn ogen hadden geglansd terwijl hij het veertje in haar handen had geduwd. Op dat moment had ze Sultan voor zich gezien, zijn donkere ogen onder de klep van zijn baseballpet. 'Ik wil mijn toekomst met jou voorbereiden.' Ze had Claude aangekeken, het veertje geknakt, was in huilen uitgebarsten en weggelopen. De dagen erna hadden die twee haar op de raarste momenten lastiggevallen. Ze had Sultan voor zich gezien wanneer ze boven de latrine hurkte en menstruatielappen verwisselde, en Claude als ze kinderen hoorde schreeuwen tijdens het vaccineren. Elke injectienaald die ze schoonspoelde, leek nog venijniger te prikken dan anders.

Nadat ze was weggelopen, had ze 's avonds van Claude een sms'je gekregen waarin hij zei dat ze niet bang moest zijn. Hij zou haar altijd beschermen. Ook zou hij haar de tijd gunnen om na te denken over hun toekomst. Toen ze het las, was ze in lachen uitgebarsten. Hun toekomst? Wat haalde hij zich in zijn hoofd? En hij zou haar beschermen?

Waarvoor dan? Wist hij wel dat er niets meer te beschermen viel?

Ze trapte het laken van zich af. Nu wist ze zo veel beter wat haar te doen stond. Ze zou alles in het werk stellen om hem op een afstand te houden. Later op repetities arriveren en zo vroeg mogelijk weer vertrekken, dat was het devies. Wie had haar gezegd dat ze verliefd moest worden op Claude? Ze had immers geen toekomst met hem?

Sultan, Claude en haar vader, ze zeiden allemaal dat ze mooi was. De eerste twee om gebruik van haar te maken, de laatste om haar als zijn bezit te koesteren. Maar ze was mans genoeg om dwars door alles heen te prikken en niemand te geloven. Ze ging overeind zitten, smeet het laken in de hoek en stond op van het matras.

Het leek wel alsof Espérance rook dat er iets met haar aan de hand was. Nu Prince weg was, kon ze ongestoord suggestieve opmerkingen maken. Op haar beurt was Sara kortaf en humeurig en ze volgde haar schoonzus met argwaan in haar ogen. Het was twee keer gebeurd dat haar koortunlek in een teil water lag terwijl ze die nodig had. Toen ze ernaar vroeg, had Espérance haar schouders opgehaald. 'O, ik dacht dat je morgen pas repetities had!' Een andere keer waren haar liederen besmeurd. Haar schoonzus had met haar hand over het papier gestreken. 'Wat erg zeg. Dat heeft Nicolas vast gedaan!' En juist op de momenten dat Sara wilde zingen, schetterde er plotseling muziek uit Espérance' telefoon.

Tegen zessen 's avonds, als Sara terugkwam van haar werk en steevast een rode gloed boven de vulkaan zag branden, was ze weleens bang voor wat daar diep vanbinnen smeulde. Op welk moment zou de Nyiragongo zijn ingewanden openen en kokende lava spuwen? Ze keek vaak met ontzag naar de reus en vergeleek zijn grillen met de hare. Soms voelde ze dezelfde hete massa in haar eigen lichaam borrelen. Wanneer zou het omhoogkomen en tot een uitbarsting komen? Hoe lang kon ze Espérance' pesterijen nog verdragen? Toch rechtte Sara op zulke momenten haar rug en prentte zichzelf in dat het gedrag van haar schoonzus haar koud liet. Niemand kon haar uit balans brengen of haar zelfs maar haar geheim ontfutselen.

Op een dag overviel Espérance haar toen ze een pagne strak om haar borsten gedrapeerd had en danspasjes in de kamer maakte.

'Denk je echt dat je mooi bent, omdat je een jong lijf hebt?' Ze gromde. 'Wacht maar tot je getrouwd bent, met elke bevalling word je lelijker.'

Sara zweeg en draaide rond op haar tenen.

'Kijk me nou niet zo aan met die ogen van je, je bent snel genoeg je onschuld kwijt, neem dat van me aan!' Espérance schopte met haar slipper tegen een papier dat op de grond lag. Vervolgens bukte ze zich, raapte het op en las hardop: 'Université de Goma, tijdsverloop.' Ze schaterde. 'Nee maar, droom je nog steeds van een studie?'

Sara griste de berekening van het geld uit haar handen.

'Je lijkt op je oudste broer, die had het ook al zo in zijn bol. En wat zie je? Nog steeds schulden!'

'Dat is niet waar, David heeft alles afbetaald. Met zijn apotheek bevoorraadt hij zelfs het *Panzi-ziekenhuis*, kun je nagaan hoe goed hij het doet!' Ze keek Espérance triomfantelijk aan.

'Hij zal jou wel aangestoken hebben met die grootheidswaanzin. Doe normaal, je bent maar een Butandi, hoor.'

'Jazeker – een Butandi, ja! En daar ben ik trots op!' Sara maakte een dans op haar tenen en boog voor Espérance. In plaats van applaus hoorde ze minachtend gesnuif. Vanaf dat moment begon ze haar schoonzus steeds meer te zien als een jaloers en nukkig mens, die er bovendien niet voor terugdeinsde om te liegen als haar dat goed uitkwam. Op momenten wanneer Sara eerlijk naar zichzelf keek, zag ze dezelfde jaloezie terug. Ze kon de kleine Marie soms wel uit de handen van Espérance trekken als haar schoonzus het gejengel niet aan kon horen. Op zulke momenten beet ze op de binnenkant van haar wangen om niet tegen haar te zeggen dat ze blij moest zijn dat ze kinderen had. En als Nicolas werd afgestraft, wilde ze Espérance wel bij haar nekvel grijpen om haar maar te laten zien wat voor rijkdom ze had. Kinderen waren voor haarzelf immers niet weggelegd? Ze zou een oude vrijster worden, daar kon geen God in de hemel iets aan veranderen.

Sara ontliep Claude zo veel mogelijk. Toch kreeg ze sms'jes waarin hij haar vroeg om met hem te praten. Ze liet ze onbeantwoord. Soms twijfelde ze of ze van het koor af moest, maar vaak verscheen het beeld van haar vader die haar dan waarschuwend aankeek: 'Altijd blijven zingen, mtoto.' Op sommige momenten wilde ze die uitspraak uit haar geheugen wissen, maar het beeld van de ruige visser bleef komen. Elke zaterdag belde ze met haar moeder, en als ze uitgepraat waren wilde baba haar stem ook nog even horen, ook al wist ze dat hij geen prater was. Steevast vroeg hij dan welke nieuwe liederen ze had geleerd. Ze durfde het niet aan om hem met nog meer leugens te confronteren en ging daarom gewoon naar de repetities. Wanneer ze eenmaal op het podium in de kerk stond, wees ze zichzelf vaak terecht. Want waarom zou ze omwille van Claude van het koor afgaan, terwijl ze juist zo van het zingen genoot?

Claude speelde even uitbundig gitaar als anders. Alleen het feit dat hij haar soms met een vreemde blik kon aankijken, verraadde dat er iets was voorgevallen. Sara zweeg en deed alleen haar mond open als er gezongen moest worden. Het was een keer gebeurd dat een koorlid haar ten overstaan van iedereen vroeg waarom ze zo weinig zei. Sara had toen gezegd dat ze zich onzeker voelde over haar Frans.

De zondag erop was zij echter niet zo ad rem. Toen Claude haar achterna kwam uit de kerk, kon ze moeilijk wegrennen. Haar hart bonsde, omdat ze bang was allerlei verwijten te horen. Hij zei echter niets daarover, maar gaf haar een bijbeltje.

'Voorin staat de tekst in het Swahili, achterin in het Frans.' Daarna keek hij haar met glanzende ogen aan. 'Saar, niet de moed opgeven, hè?'

Ze nam het bijbeltje aan en mompelde iets over de hoeveelheid dollars die het cadeau wel niet gekost zou hebben, maar hij pakte enkel haar hand. Op hetzelfde moment begonnen haar ogen te branden. Ze slikte en slikte, maar het vocht liep al over haar wangen. Het hele boek kon haar niet schelen, maar wel dat hij haar naam had gestreeld, alsof ze baba hoorde fluisteren toen ze een klein meisje was geweest. 'Saar!'

Claude duwde haar vingers weg die de punten van haar hoofddoek hadden vastgegrepen. Hij had geen lap stof nodig om haar wangen droog te wrijven. Met zijn duim veegde hij haar tranen weg. 'Alles komt goed. Ik heb geduld, dada.' Daarna siste hij de lokroep naar een jongen, gaf hem geld en hielp haar achter op de brommer.

Toen ze thuiskwam, bekeek ze het bijbeltje pas. Het had een rode kaft met gouden letters en leek uit een andere wereld te komen dan haar oude, vergeelde exemplaar. Ze sloeg het open en las: *Voor Sara. Van Claude.* Daaronder stond in kleine letters: *Esaïe 40:31.* Nadat ze eindelijk de profeet na de Psalmen en voor *Ezéchiel* gevonden had, las ze de woorden:

... maar wie de Heer verwachten,
zullen hun kracht vernieuwen,
zij zullen hun vleugels uitslaan als arenden.

Ze hoorde de vleugelslag en droomde weg. Op het moment dat ze Claudes tekeningen tevoorschijn wilde halen, hoorde ze voetstappen. Was Espérance al terug uit de dienst van Birere? Nicolas dreinde dat baba veel aardiger deed dan moeder. Er klonk een pets. Daarna huilden twee kinderen door elkaar. 'Je gaat nu naar bed, net als je kleine zus!' Het zeil werd opzijgeschoven en Sara keek recht in het gezicht van Espérance.

Sara wilde met een laken het bijbeltje bedekken, maar daarmee bereikte ze juist het tegenovergestelde.

'Wat is dat nou? Nee maar, van wie heb je zo'n dure gekregen?' Espérance streelde de gouden letters, sloeg het boekje open en las het schutblad. Terwijl ze de huilende Marie in de draagdoek naar haar heup verschoof, keek ze Sara aan. 'Wie is Claude?'

Sara trok de bijbel uit haar handen, maar Espérance had haar kin al naar voren geduwd. 'Toch niet een vriendje hè?' Ze snoof. 'Ga je hier ook al met jongens naar bed zoals je op Ishovu deed? En dat allemaal onder het mom van een heilig boek, het mocht wat!' Ze pakte Nicolas bij zijn arm en wilde hem in bed stoppen.

'Wat? Wou jij beweren dat ik met jongens slaap?' Trillend deed Sara haar arm omhoog.

'Maak me nou maar niets wijs, ik hoor nog weleens wat op de markt, ja. Had ze het mis dan?'

'Wie bedoel je?'

'Dat moet ik jou vertellen, zeker.'

Sara gooide het zeil opzij en rende naar buiten. Ze pakte een pan en sloeg hem op de lavastenen om hem stuk te breken. Binnen in haar kolkte en stroomde het. 'Devote, ik haat je!' riep ze met overslaande stem. Vervolgens schopte ze een teil omver, wierp een steen tegen de pan en trok de hoofddoek van haar hoofd. Op hetzelfde moment veranderde alles van kleur. Ze zag dat haar lichaam zich mengde met wazige vormen van blauwe vloeistof. Sultan keek haar spottend aan vanonder zijn baseballpet. Ze gooide haar armen in de lucht om hem te slaan. Toen liet ze zich languit op de grond vallen en dacht na over de man die zich in haar leven had gedrongen. Haar lichaam schokte van verdriet dat zich mengde met de kolkende lava die naar buiten kwam. Na een tijdje stond ze op, veegde het zweet uit haar oksels en spoog op de grond.

Chukudugoud

Het taxibusje schoot naar links om een reeks kuilen in de weg te vermijden. Sara keek naar buiten en zag auto's van hulporganisaties hetzelfde spoor volgen. Ze zat tussen vrouwen geklemd die tassen vol marktwaar op schoot hadden. Bij elke stop kwamen er meer mensen bij die een plekje moesten veroveren. De vrouw die het laatst was ingestapt, verschoof haar kind in de draagdoek naar voren en gaf het de borst. Uit de radio naast de bestuurdersstoel schalde een mannenstem: 'You are my girl, forever, for-*ever!*' Sara begreep niet wat er gezongen werd, hoewel ze het liedje vaker in taxibusjes had gehoord. Ze neuriede mee, heen en weer schuddend tussen de passagiers in het busje, terwijl ze genoot van haar uitstapje voor Faida. Die ochtend hadden drie vrouwen hun bevalling betaald en met de dertig dollar die dat had opgeleverd, had de verloskundige haar direct naar de stad gestuurd om injectienaalden en malariapillen te kopen.

'Rond-point chukudu!' De taxi-jongen opende de schuifdeur en hing half buiten het busje.

Sara stapte uit en keek naar het gouden standbeeld van de man met de loopfiets. Rondom het beeld, midden op de rotonde, liepen jongens met camera's die mannen en vrouwen in gelegenheidskleding fotografeerden. Ze kneep haar ogen half dicht vanwege de zon. Dat goud was nep. Had Prince niet gezegd dat het beeld eerst wit was? Waarom pompte de regering geld in zoiets, terwijl de enige asfaltweg in het centrum al maanden opengebroken lag en de hele stad onder het stof zat? Ze keek naar het gebeeldhouwde gezicht. Iedereen in de stad kende het verhaal over Vanny Bishweka, de man die als loopjongen begonnen was maar nu geroemd werd omdat hij eigenaar was van het Ihusihotel, een paar boten en een tankstation. Er gingen zelfs geruchten dat hij een nieuwe haven pal naast Kituku zou bouwen. Sara draaide zich met een ruk om. Waarom zou ze tijd verspillen door naar een gouden kop te staren aan wiens voeten heel Goma lag? Ze stak de drukke weg over en liep naar de apotheek waarvan Faida had gezegd dat ze de beste spullen hadden voor een lage prijs. Nadat ze inkopen had gedaan, borg ze het resterende geld tussen haar buik en pagne.

Terwijl ze de plastic zak met apotheekspullen op haar hoofd legde, liep ze terug naar de rotonde. Op de reclameschotten in de bocht ernaartoe grijnsde een jongetje met een tijgermasker. Zijn witte tanden moesten voorbijgangers verleiden om Flodent te kopen. Sara schudde haar schouders. Niets voor haar, tandpasta was immers iets voor wazungu of mensen zoals Claude met een goede baan? Op hetzelfde moment dacht ze aan de gitarist en zonder dat ze er erg in had, sloeg ze linksaf de hobbelige straat in die naar Heal Africa voerde. Ze wist dat hij in de wijk achter het ziekenhuis woonde, omdat ze een keer bij Devote, zijn buurvrouw, op bezoek was geweest. Ze herinnerde zich het ommuurde terrein met een toegangspoort waarvan ze onder de indruk was geweest. Terwijl ze verder liep, drong het tot haar door wat ze deed. Moest ze niet terug naar Centre Uhakika? Ze dacht na en besloot om heel even te kijken of de poort openstond, misschien kon ze een glimp van het huis opvangen.

Even later zag ze dat de poort hermetisch gesloten was. Ze keek omhoog of er een uitkijkhut was waarin bewakers zouden zitten, maar zag niets. Ze liep naar de linkerkant van het terrein, waar houten huisjes stonden, en deed iets wat haarzelf verbaasde. Ze klopte bij een huisje aan. Een oude vrouw deed open. Sara vroeg of ze Claude kende.

'De jongen met die helse muziek op de gitaar?'

Ze dacht aan het temperament waarmee Claude de snaren beroerde en lachte. 'Vindt u niet dat hij mooi speelt?'

De vrouw, die blijkbaar wel zin had in een praatje, vertelde van alles over de buurjongen die haar altijd aan het lachen kreeg, zelfs wanneer ze moe was en zere botten had. Toen keek ze haar plotseling aan en zei: 'Je vraagt het toch niet omdat...?' Ze keek nadenkend. 'Ik wist helemaal niet dat hij daar tijd voor heeft. Als hij niet aan het werk is, dan is hij hier bij zijn zieke moeder.'

'Nee, nee!' zei Sara. 'Ik kwam hier toevallig langs en zit op hetzelfde koor. Ik wilde gewoon even weten of u ook vindt dat hij zo mooi gitaar kan spelen.'

'Kleine dada van me, je weet best dat meisjes niet voor niets bij buren informeren hoe een jongen is!' De vrouw kneep haar ogen half dicht. 'Je wilde allang vragen of hij gewelddadig is en hoe hij met meisjes omgaat. Heb ik gelijk of niet?'

Sara vroeg zich af of de vader van Claude nog leefde, maar bedwong haar nieuwsgierigheid en zei tegen de vrouw dat het echt alleen om koorzaken ging. Dat ze sinds kort solo zong en dat ze wilde weten hoe vaak Claude de liederen oefende.

'Dat moet je aan Devote vragen, die woont er pal naast!' Ze gebaarde naar de rechterkant van het huis.

Sara mompelde iets over een andere keer en zei de vrouw gedag. Zonder erover na te denken pakte ze haar tas en liep naar de rotonde, waar taxibusjes reden. Pas in het busje onderweg naar het medisch centrum begon haar hart sneller te bonzen. Ze had bij buren geïnformeerd alsof ze alleen nog een bevestiging nodig had om een relatie met een jongen te beginnen. Was ze raar geworden? Ze dacht aan de buurvrouw van Prince en Espérance, die met haar nagels in het babypakje had geplukt. Zou Claude aan dat mens vragen of zij, Sara, trouw is en goed met kinderen kan omgaan, zoals alle jongens bij buren vragen? Ze beet op haar onderlip. Waarom was ze zo impulsief geweest? Ze had een onbekende, oude vrouw uitgehoord over een jongen alsof ze een geheime liefde koesterde. Devote zou het snel weten, evenals de jongen zelf – het was alleen de vraag wanneer.

De dagen erna bleef ze 's avonds steeds langer de tekeningen bekijken en in de rode bijbel lezen. En ook al wist ze dat ze er geen goed aan deed, toch bleef ze aan Claude denken. Op zulke momenten miste ze Nsimire, aan wie ze vroeger kon vragen of een jongen betrouwbaar was. Soms dacht ze aan moeder die haar gewaarschuwd had voor mannen toen ze net ongesteld was geworden. 'Denk erom dat je je niet laat aanraken, nergens! Pas in een huwelijk moet je je man gehoorzamen als hij met je naar bed wil, niet daarvoor.'

Veertien was ze geweest. Het jaar erna had ze Sultan leren kennen, wiens hand ze eerst niet eens durfde vasthouden. Nu dacht ze soms nog aan moeders woorden wanneer Claude haar bovenarm pakte of haar een duwtje gaf om naar het podium te lopen. Op bepaalde momenten had ze nog de neiging om zijn hand weg te duwen, maar het was wel minder geworden. En de keren dat hij plotseling naast haar in de bank kwam zitten, was ze niet meer helemaal tegen haar buurvrouw aangekropen om zijn lichaamswarmte maar niet te voelen. Heel langzaam begon ze weer plezier te krijgen in het zingen en durfde ze vrijmoediger te zijn voor het publiek. Thuis leek het wel alsof Espérance' botte opmerkingen haar minder deden. Zingen, geld verdienen en nadenken over de vraag wat Claude wel en niet te weten mocht komen, was voor haar het belangrijkst.

Een week na het gesprekje met Claudes buurvrouw wilde hij haar na een repetitie naar huis begeleiden, omdat ze niet lekker was. Ze verbeet haar krampen en wilde zo snel mogelijk naar huis om de pijnstillers te slikken die David haar had gestuurd.

'Wil je echt niet met een brommer?'

'Nee, nee!' Sara dacht aan het gehobbel over lavakeien dat haar maandelijkse ongemakken alleen maar zou verergeren. 'Naar Birere is echt niet zo ver, hoor.'

'Dan loop ik met je mee. Ik wil weten dat je veilig thuiskomt.' Claude keek bezorgd.

Sara probeerde het uit zijn hoofd te praten, maar hij slingerde de gitaar over zijn schouder en liep mee. Ze passeerden hotel Grand Lac en sloegen rechtsaf de weg in naar restaurant Le Petit Bruxelles. Aan de overkant van het Belgische eetcafé, voor de poort van de MONUSCO-basis, stond een witte legerjeep geparkeerd waarvan een Congolees een band verwisselde. Een VN-militair stond erbij en gaf instructies. Vier andere soldaten stonden op wacht en keken verveeld naar voorbijgangers. Terwijl ze stug voor zich uit keek, luisterde ze met een half oor naar Claude, die over een nieuw lied praatte. Op de een of andere manier merkte hij haar spanning en vroeg wat er was.

'Ze zijn allemaal hetzelfde,' fluisterde ze. 'Of ze nu uit India, Pakistan of Congo komen, het maakt niets uit.'

'Waar heb je het over?'

'Ik heb al drie keer meegemaakt dat FARDC-soldaten me nariepen wanneer ik ze in de stad tegenkwam. Het is me met die lui van de MONUSCO nog niet overkomen, maar eigenlijk geloof ik dat ze geen haar beter zijn.'

'Wat zeiden ze dan?'

'Ze riepen "chérie, chérie!" terwijl ik hen met elkaar hoorde praten wie van hen mij als vrouw zou willen nemen omdat...'

'Omdat?'

'Omdat ik er zo mooi uitzag.' Sara voelde haar wangen gloeien.

'Beloof je me dat je belt als dit weer gebeurt? Misschien kan ik via mijn werk regelen dat hun chef aangesproken wordt.' Claude keek nadenkend. 'Waarschijnlijk heeft dat weinig zin, maar ik zou in elk geval direct naar je toe kunnen komen!' Plotseling stond hij stil en pakte Sara bij haar schouders beet. 'Zie je wel dat ik gelijk had dat je mooi bent?'

Sara keek naar haar gezicht dat ze verkleind terugzag in zijn ogen. Ze slikte en probeerde te glimlachen. Toen ze het warm kreeg omdat hij haar bleef aankijken, flitste het door haar heen dat hij niet mocht zien waar ze woonde. Wat zou hij zeggen van het huisje dat niet meer was dan een bouwvallig krot van golfplaten?

Claude stapte over een hoopje afval heen. Hij zei dat hij trots op haar was en pakte haar hand. Sara wilde die losrukken omdat ze bang was voor wat de mensen in Birere daarvan wel niet zouden zeggen, maar ze zei niets omdat ze eigenlijk wel genoot van het vreemde, tintelende gevoel in haar hand. Begeleid door het gezang van een imam die zijn volgelingen bij elkaar riep, praatten ze over de studie die Sara wilde volgen, het gezin waar ze uit kwam en de woonsituatie bij Prince en Espérance. Sara liet alle schroom varen en vertelde over de irritaties met haar schoonzus, over de altijd aanwezige herrie in de buurt en over haar heimwee naar vrijheid als ze 's nachts de regen op de golfplaten hoorde kletteren en de wind hoorde waaien.

Op het moment dat ze bij de moskee waren, zo'n honderd meter van Prince' huisje, liet Claude haar hand los en sloeg zijn arm om haar middel.

Sara deinsde terug, haar ogen wijd geopend. 'Laat dat!'

Hij verontschuldigde zich, maar juist de manier waarop maakte van alles in haar los. 'Ik ben een Butandi. Een Butandi, hoor je?' Ze hoorde zichzelf luidkeels haar broer David nadoen. 'En daar ben ik trots op, ook al is mijn vader maar een gewone visser en woon ik niet in zo'n dure buurt als jij!' Haar stem daalde toen ze hem vroeg haar met rust te laten. Ze greep hem bij zijn overhemd. 'Wat zullen je vader en ooms wel niet zeggen van een meisje zoals ik?'

'Hij is dood,' zei Claude. 'En ook al leefde hij nog, ik bepaal zelf wie de moeder van mijn kinderen wordt!' Hij trok haar tegen zich aan en fluisterde: 'Abram moet niet als ik ondersteboven zijn geweest van zijn mooie Sara.'

Sara leunde tegen hem aan en voor heel even voelde ze geen buikkrampen en vergat ze de zingende imam, de etensgeuren, de jengelende kinderen en de optrekkende brommers. Ze deed haar ogen dicht en legde haar hoofd tegen zijn schouder, haar handen om de gitaarband geklemd. Al snel kwamen ze opzetten, die ellendige gedachten die haar de laatste dagen niet met rust lieten. Met venijnige prikken sprongen ze op haar af. Ze probeerde ze uit haar hoofd te bannen, maar het lukte niet. Haar handen lieten de gitaarband los. Ze moest Claude uit haar hoofd zetten. Haar vader had immers gelijk dat ze alleen met Sultan kon trouwen?

Ze snikte, stampte met haar voeten en riep: 'Het kan niet, het kan niet!'

Claude zei dat hij een dezer dagen wel met Prince kon gaan praten.

'Nee, er is iets, iets wat je moet weten.' Haar buikkrampen verergerden.

'Er is helemaal niets! Je vader zal niets tegen mij in te brengen hebben.' Het was voor het eerst dat ze hem zijn borst vooruit zag duwen. 'Er zijn weinig jongens die een baan hebben zoals ik. Niemand zal zijn dochter zo'n toekomst kunnen geven!'

Sara zweeg en speelde met haar slipper. Daarna zei ze dat het beter was dat hij niet mee zou lopen naar haar huis. Het pad achter de moskee waar ze woonde, stond bekend om kletsgrage buurvrouwen en prostituees. Ze keek hem aan, liep weg en riep over haar schouder *'mangaribi njema'* alsof hij slechts een willekeurige voorbijganger was.

Thuisgekomen ging ze op een krukje zitten met haar hoofd tussen de knieën. Ze liet de krampen komen en weer gaan terwijl ze aan de warmte van Claudes bovenlijf dacht. De laatste tijd had ze hem gezien als broer of goede vriend. Maar nu wist ze dat ze meer wilde. Ze kon er trouwens niet meer omheen. De liefde die ze voor eeuwig had afgezworen, bleek zich levendiger te manifesteren dan ze wilde. Sara stond op en slikte een pijnstiller met water weg. Toen liet ze zichzelf op de grond zakken en zag Claude weer voor zich, die haar resoluut in de rede was gevallen. Was dat een teken dat ze haar geheim verborgen moest houden? Wat moest ze doen: het wel of niet vertellen? Was moeder hier maar, dan kon ze haar in vertrouwen nemen. Tegelijk wist ze dat zij en baba de laatsten zouden zijn met wie ze hierover kon spreken. Ze had immers beloofd met Sultan te trouwen? Haar vader zou er nooit mee instemmen als ze iemand anders koos. Wanneer ze Claude aan hem zou voorstellen, zou hij zeggen dat ze al een man had. En Sultan zelf? Die zou een huwelijk met een ander nooit laten doorgaan. Hij was in staat op het huwelijksfeest zelfs de kerkdienst te verstoren. Had hij niet gedreigd met dingen die konden gebeuren als baba haar niet aan hem zou geven?

Sara sloeg haar armen om haar knieën. Hoe zou Claude reageren als hij op zijn bruiloft zou horen dat ze geen maagd meer was? Ze stelde zich die situatie voor en voelde haar lijf gloeien van schaamte. Alle donkere krochten in haar openden zich en plotseling walgde ze van de geuren die ze rook. Op haar mobiel zocht ze naar een stevig nummer, zette het geluid aan en stond op van de grond. Terwijl ze danste, schopte ze de krukjes aan de kant die in de weg stonden en strekte haar armen boven haar hoofd. Op het ritme van de drum draaide ze haar heupen en heel langzaam gaf ze zich over aan een donkere stem die fluisterde: 'Zie je wel dat ik gelijk had dat je mooi bent?' Ze maakte huppelsprongetjes, balanceerde op haar tenen en vouwde haar handen om haar borsten. Met haar ogen dicht zong ze en gaf zich over aan de tintelingen die ze die dag voor het eerst had gevoeld.

Toen het nummer afgelopen was, liep ze naar de slaapkamer van Espérance en rommelde in een tas waaruit ze een spiegeltje haalde. Ze schoof het gordijntje in de deuropening opzij en bekeek zichzelf. Had Claude echt gelijk dat ze mooi was? Ze kneep in haar wangen. Veel te donker, ze had geen geld om crème te kopen die je huid lichter maakte. Onder haar hoofddoek had ze kort kroeshaar. Ze zou in een stalletje haar haren moeten laten vlechten, maar dat kostte te veel geld. Ze dacht aan Claude. Hoe zou hij reageren als ze met lange vlechten op koor zou komen? Met haar wijsvinger streek ze over haar wenkbrauwen en klakte met haar tong. Ze had geen zwarte kool nodig, zoals veel vrouwen, om er ronde boogjes van te maken. Het langst keek ze naar haar ogen. In het donkerbruin zag ze kleine, goudgele vlekjes die licht leken te geven. Ze dacht aan het beeld van de chukudu die precies dezelfde kleur had. Goud, ja, moest ze niet iets om haar hals? Daarna lachte ze om wat ze aan het doen was. Dat Claude gezegd had dat ze mooi was, betekende nog niet dat hij een relatie met haar kon beginnen. Wat? Dacht ze echt dat hij haar zou willen, inclusief haar verleden? Ze draaide de spiegel met een ruk om en keek naar het zwarte plastic dat aan de randen rafelde.

Ze wist het: er stond haar maar één ding te doen. Ze pakte haar mobiel en verwijderde het nummer van Claude. Met haar duim scrolde ze langs alle namen en wiste ook die van Sultan en Devote. Waarom had ze dit niet eerder gedaan? Toen drong het tot haar door dat ze nog steeds gebeld kon worden. Ze gooide de batterij uit haar telefoon, peuterde de simkaart eruit en brak hem tussen beide duimen doormidden.

Nu Prince op reis was, vroeg Espérance haar steeds meer klusjes te doen. De eerste keren had ze gedaan wat haar was opgedragen. Toen Espérance haar op een ochtend vroeg een jerrycan palmolie te laten vullen, was ze echter uitgevallen. Ze had geroepen dat ze die dag in Centre Uhakika al genoeg bidons zou sjouwen en dat ze ervoor bedankte uit haar werk nog een keer haar rug te vertillen.

Espérance had haar aangekeken en haar hoofd geschud. 'Dat woont hier maar, als een *madame* in een hotel. En is ook nog te beroerd om een vinger uit te steken! Waar blijft al dat geld dat je verdient? Is dat soms nog steeds voor die studie van je?' Ze stak haar kin in de lucht.

'Ben ik dan geen zus van Prince? Wou je mij laten betalen voor gastvrijheid?' Sara keek uitdagend. Op hetzelfde moment realiseerde ze zich dat haar broer nooit om geld had gevraagd. Misschien moest ze zijn vrouw toch maar te vriend zien te houden. 'Nou, geef maar wat dollars, dan haal ik de olie voor je.' Het laatste restje vet goot ze in een pan en ze nam de lege jerrycan mee naar haar werk.

Die dag in het medisch centrum hoorde ze van Paluku dat de avond ervoor een brommerrijder door een militair was doodgeschoten. De motard was vlak bij het centrum na het verstrijken van de avondklok gesnapt en was in discussie gegaan met de soldaat die patrouilleerde. Er was een woordenwisseling ontstaan, waarna de jongen zijn brommer had gepakt en was weggereden. De soldaat had zijn wapen gepakt en gevuurd. Paluku had niet begrepen of het om een FARDC-militair ging of om een bandiet in legeruniform. Maar hij drong er bij Sara op aan om na zes uur 's avonds geen brommer te pakken, maar een taxibusje. Het leek wel alsof dit bericht andere negatieve geruchten aanwakkerde, want het hospitaaltje gonsde van de verhalen die loskwamen.

Een oudere man schudde aan Sara's arm: 'Pas maar op kind, je wist toch wel dat het regeringsleger niet te vertrouwen is? Moet je eens horen wat mijn dochter overkomen is!'

Sara probeerde het gesprek luchtig een andere kant op te sturen, maar ontkwam niet aan een gedetailleerde beschrijving. Ondertussen dweilde ze de vloer, alsof ze zich niets aantrok van het nieuws dat bijna normaal leek te worden.

'Of een militair nu tot het regeringsleger, de MONUSCO

of een rebellengroep behoort, hij grijpt meisjes toch altijd onder hun pagnes,' zei een vrouw terwijl ze haar baby waste.

'Nou, mijn familie weet er alles van omdat mijn nicht in Rutshuru...'

Sara liep weg, omdat ze genoeg kreeg van de oude man aan wiens lippen het hele ziekenkamertje hing. De rest van de dag was ze druk met het verslepen van liters water, omdat er steeds meer vluchtelingen naar het centrum kwamen voor medische zorg. Eén daarvan was een jonge vrouw met een wond in haar rechterborst. Paluku had gevraagd of ze wilde helpen om het meisje vast te houden terwijl hij het gapende gat schoonmaakte en hechtte. Terwijl de dokter bezig was, had het meisje gezegd dat ze op de rand van een kookpot was gevallen, maar Sara had aan zijn gezicht gezien dat hij haar niet geloofde. Toen hij nauwkeurig de randen van de wond bij elkaar trok, had het meisje gegild.

Paluku had stilzwijgend zijn werk afgemaakt en was daarna op zijn hurken voor haar gaan zitten. 'Heeft hij je ook verkracht toen hij met een *machette* je borst bewerkte?'

Het meisje begon te snikken en zei dat haar man haar had verstoten nadat hij het had gehoord. Ze greep de dokter bij zijn witte jas en riep dat ze geen geld had voor de behandeling. Paluku stond op en zei dat ze zich geen zorgen moest maken. Later hoorde Sara hem tegen Vitale zeggen dat ze over een paar dagen naar huis gestuurd kon worden zonder rekening.

Aan het einde van de dag vertrok ze naar de markt van Birere om de jerrycan met olie te laten vullen. Espérance was er niet te vinden, haar normale plekje achter de stellage met maracuja's was leeg. Wel zag Sara Nicolas, die schuin op een jutezak lag te slapen. Ze liep naar de vrouwen die olie verkochten. Op de grond zaten er vijf op een rij, allen achter blikken met oranje vloeistof. Sara vroeg naar de prijs en vond hem redelijk.

Een vrouw met vlechtjes die als antennes recht op haar hoofd stonden, pakte een trechter en het olieblik waarop het merk van poedermelk stond. 'Wil je hem helemaal vol hebben?'

Sara knikte, waarop de vrouw de jerrycan vulde.

'Je bent toch het schoonzusje van Espérance?' De vrouw keek vanuit haar gehurkte positie naar haar op. 'Wat ze toch moet met de *chef du marché*, ik weet het niet, hoor,' mompelde haar buurvrouw.

Sara keek verbaasd naar de vrouwen.

'Nou, ik weet het wel! Beetje flirten om iets van de tien dollar per maand af te krijgen voor de verkoopplek.' Haar antennes bewogen driftig op en neer. 'Ze is slim genoeg om ook de belastingen per dag omlaag te krijgen!'

'Waren wij maar zo gehaaid, Aimée!' De tweede vrouw van links lachte spottend. 'Wij zitten hier tot onze ouwe dag met palmolie en verdienen amper een dollar per dag, omdat we trouw elke dag de belasting over het invoeren van marktwaar aan die kerel betalen.'

'Vergeet de milieubelasting en de bijdrage voor de latrines niet, hè,' zei Aimée droog. Ze keek naar Sara. 'Weet je wat ik niet eerlijk vind? Dat Espérance wel een soort tafel heeft waar ze haar marktwaar op kan leggen en wij niet.' Een andere vrouw viel haar bij.

'Een blik palmolie is wat stabieler op de grond dan rollende maracuja's, of niet?' Sara keek beide vrouwen aan terwijl ze het geld overhandigde. 'Waar is ze trouwens?'

De vrouw met de vlechtjes stootte haar buurvrouw aan en proestte. 'Ja, waar zou ze zijn?' Ze wees naar de slagers die stukken geit ontvelden.

Sara legde een rolletje stof op haar hoofd en tilde de

volle bidon omhoog. Balancerend liep ze tussen marktvrouwen door die achter bergen aardappels, bonen, auber-
gines en tomaten zaten. Haar ogen proefden alle kleuren
terwijl ze de kruidige geur van thee, rozemarijn en selderij
opsnoof. Toen ze Devote ontwaarde tussen de vrouwen,
keurde ze haar geen blik waardig en keek strak naar de drie
jongens die in bebloede schorten met klanten onderhan-
delden over stukken vlees.

Terwijl ze over een slapende baby heen stapte, zag ze op
tien meter afstand Espérance in gesprek met een man. Was
dat de chef du marché? Sara liep een paar passen naar voren en zag het nu duidelijker. De man aaide over het gezichtje van Marie in de draagdoek, waarop haar moeder
verrukt lachte. Vervolgens streek de man langs de wang
van Espérance. Sara hield haar adem in toen ze haar
schoonzus zag reageren. Want in plaats van een gebruike-
lijk bruusk wegdraaien van haar schouders, zoals ze deed
als Prince haar probeerde te liefkozen, zag Sara haar iets
anders doen. Ze keek om zich heen, pakte de hand van de
man en vouwde die langzaam om haar borst.

Bruidsjurkwit

Op het moment dat ze de hand strelende bewegingen over de borst zag maken, draaide Sara zich om. Met een zwaai bracht ze de jerrycan met palmolie naar haar hoofd en rende op haar slippers weg. Een slagersjongen liep haar achterna of ze zwanger was, omdat de geur van bloed haar misschien misselijk maakte. Haar ogen spuwden vuur toen ze naar hem terug liep, aan zijn T-shirt trok en hem van repliek diende. Daarna keek ze over haar schouder naar het stel dat niets leek te horen van de wereld om zich heen en keerde zich om. Terwijl ze over zakken cassave en bonen stapte, hoorde Sara marktvrouwen over haar praten.

Hoewel ze zich voorgenomen had om Devote te negeren, lukte het haar niet om haar ogen te sluiten voor de hand die naar Espérance wees. De vijf vrouwen met palmolie schaterden om de obscene gebaren die Devote daarna maakte. Sara voelde haar benen trillen. Even overwoog ze om de grijns van Devotes gezicht te slaan, maar het idee dat juist de chef du marché zou ingrijpen en haar van de markt zou wegsturen, weerhield haar. Met opgeheven hoofd liep ze verder, doof en blind voor alles wat haar inwendig zou kunnen raken.

Eenmaal thuis zette ze de jerrycan in een hoek van het

huisje. Ze dacht aan de kleine Nicolas. Wist hij wat zijn moeder onder werktijd deed? Had hij vaker iets gezien?

Sara slikte toen ze Prince' gezicht voor zich zag. Moest ze het hem vertellen als hij terug was? Misschien dat hij zelf ook iemand bezocht achter de rug van zijn vrouw om. Waar kwam die parfumlucht in zijn overhemd anders vandaan? En wat voerde hij in Kigali uit nu hij op reis was?

Ze wikkelde een lap stof om haar schouders tegen de avondkou en liep naar het kookstelletje om eten klaar te maken. Ze moest voor Nicolas zorgen. Al dagen bekommerde zijn moeder zich niet om hem. Het was dat Marie nog aan de borst was, anders had Sara zich voor twee kinderen verantwoordelijk gevoeld.

Een uur later kwam Espérance thuis en legde de baby in bed. Nicolas hurkte op de grond naast Sara en viel op de ugali aan. Ze keek naar zijn slaperige gezichtje. Alleen zijn gretige mond liet iets van zijn oude levenslust zien. Zijn moeder duwde hem opzij, deed een greep in de pan en schrokte stukken van een meelbal weg. Ongemerkt staarde Sara naar het bovenlijf van haar schoonzus. Een vest bedekte de buste. Ze zuchtte diep om een regelmatiger ademhaling te vinden en hoorde Espérance naar de palmolie vragen. Met een achteloos gebaar wees ze naar de hoek van de kamer.

'Heb je wel gecontroleerd hoeveel liter ze uit de blikken haalden? Die olievrouwen zijn niet te vertrouwen.'

'Wie is er niet te vertrouwen?' Sara's mondhoeken gingen iets omhoog, maar het was geen glimlach.

'Vooral dat mens met die opzichtige vlechten! Hoeveel heb je betaald?'

Ze noemde het bedrag en keek naar haar schoonzus, die was opgestaan en nu de dop van de bidon losdraaide. Toen Sara de oliegeur rook, werd het wazig voor haar ogen. Ze wilde naar de hoek van de kamer lopen, de jerrycan pakken en de oranje vloeistof boven het hoofd van Espérance uitgieten. Maar een blik op het jongetje naast haar maakte dat ze bleef zitten waar ze zat. Beelden van vliegen op stukken vlees verschenen op haar netvlies. De geitenkop was gedeeltelijk ontveld en de meeste insecten waren op het bloed afgekomen. De slagersjongen had ze met zijn mes weggejaagd, maar ze waren in zwermen neergestreken. Parasieten, dat waren ze. Indringers, vervuilers. De vliegen maakten plaats voor dat andere beeld van die middag. Ze stond op, trok het zeil opzij en ging naast de slapende baby liggen.

Met haar duim duwde Sara een simkaart in haar mobiel. Ze had voor een paar Congolese francs een andere gekocht en het nieuwe nummer naar haar ouders ge-sms't. Terwijl ze de batterij weer op de juiste plek schoof, dacht ze aan Claude. Waarom kon ze hem niet uit haar geheugen wissen, zoals ze met zijn naam in haar telefoon had gedaan? Zondag had hij gevraagd waarom ze niet reageerde op zijn sms'jes. Ze had iets gemompeld over haar mobiel die kwijt was, maar ze had aan zijn ogen gezien dat hij haar niet geloofde. Daarna had ze hem willen ontlopen, maar hij had ervoor gezorgd dat hij naast haar in de bank was geschoven. Onder de preek was ze een en al oor geweest voor de pasteur om Claude de indruk te geven dat ze er simpelweg niet was. Maar hij had haar hand gepakt en zijn vingers eromheen gevouwen.

'Ik heb geduld, dada.'

Ze had haar hand losgerukt, maar hij had hem weer gepakt. Later had ze zich overgegeven aan zijn strelende vingers.

Na de dienst had ze hem willen confronteren met haar

verleden, maar al na een paar inleidende zinnen was hij haar in de rede gevallen.

'Trouw met me, Saar!' Zijn ogen hadden geglansd.

Ze had zich zwijgend omgedraaid en was weggelopen.

Sara streek over haar mobiel. Was ze echt voorbestemd om Sultans kinderen te baren? Sultan had baba immers onder druk gezet omdat hij met haar wilde trouwen? Plotseling zag ze overal waterige ogen. Honderden baseballpetjes dansten door de kamer. Terwijl haar hartslag versnelde, hoorde ze een zware stem. Ze stopte haar vingers in de oren, maar de woorden van baba bleven resoneren. 'Je kunt geen andere man toebehoren om datgene wat is gebeurd.'

De volgende dag besprak ze voor het eerst haar studieplannen met Paluku. De dokter keek haar aan, riep iets in het Kihavu waarom ze moest lachen en nam haar mee naar de verloskamer. Sara mocht een vrouw mee helpen hechten. Voor het eerst hoorde ze de zwijgzame man aan één stuk door praten. Hij vertelde over verschillende huidlagen, welke technieken er waren om te hechten en hoe destructief een schaar te werk kon gaan. Sara was blij dat de kraamvrouw niets zei. Later mocht ze van Paluku een uur eerder naar huis om langs de Université de Goma te gaan.

Toen ze het hospitaaltje uit liep, kwam hij haar achterna en duwde een envelop in haar handen. 'Geef die aan de *professeur* anatomie!'

Bij de universiteit moest ze zich melden bij een man in een kantoortje. Of ze een afspraak had?

'Nee, een belangrijke brief voor...' Ze keek naar de envelop en las de naam hardop.

'Geef maar aan mij, ik ben de administrateur.'

'Maar hij is niet voor u!'

'Weet je niet hoe druk de dokters en hoogleraren zijn?

Het is maar goed dat ik hier in dienst ben.' Hij scheurde de envelop open en las de brief. Daarna legde hij de post op een stapel bij andere groezelige papieren.

'Het is belangrijk, hoor!' Sara wipte op haar tenen.

'Dat zeggen ze allemaal. En maar vragen om vermindering van studiegeld.' Hij lachte een scheve voortand bloot en wees naar Paluku's handschrift. 'En dat noemt zichzelf een collega van de professeur!'

Sara slikte en staarde een tijdje naar haar slippers. 'Om de docenten zo veel werk uit handen te nemen is een hele taak. En dan ook nog eens te moeten beslissen wat wel of niet door hen gelezen moet worden!' Even keek ze hoeveel effect haar woorden hadden. Op het moment dat ze de man zag glimlachen, vertelde ze hoe graag ze een kijkje zou willen nemen in een praktijkruimte. Ook vroeg ze of hij wist welke vakken er aan eerstejaarsstudenten gegeven werden.

'De universiteit kan inderdaad niet zonder mij!' Sara zag de tand schitteren. 'Weet je wat? Ik neem je even mee naar de anatomieles.' Hij pakte haar arm en trok haar zonder iets te zeggen mee.

Toen ze na de rondleiding het terrein van de universiteit af liep, maakte ze een huppelsprongetje omdat het haar was gelukt de collega van Paluku te spreken. Ze had hem zelfs over de brief kunnen vertellen die in het kantoortje lag. Ook had ze een heus menselijk skelet gezien en wist ze alles over het verloop van de studie die haar droom zou vervullen. Studeren moest ze, dokter worden en in een eigen inkomen voorzien. Wie had haar verteld dat ze een man nodig had?

Met een bundeltje kleren onder haar arm liep Sara een paar dagen later naar huis. Ze keek naar de opkomende zon en wreef in haar ogen. Het was een lange nacht geweest in de kliniek, waarin ze met Faida maar liefst drie baby's ter wereld had geholpen. De verloskundige had gelachen toen Sara had gevraagd waarom *watoto* bijna altijd bij maanlicht ter wereld kwamen. 'Ik heb zeven kinderen in het donker gebaard. Weet je waarom? Net als hun moeder hielden ze niet van pottenkijkers.' De kraamvrouw die op dat moment werd geholpen, had Faida's opmerking aangevuld met andere verhalen.

Het zonlicht begon krachtiger te schijnen. Ondanks het vroege tijdstip was het al druk in de stad. Een meisje zonder neus bedelde om geld. De eerste keer dat Sara haar zag, had ze te lang naar het gapende gat gestaard, waarna het meisje als een vlieg om haar heen was blijven gonzen. Andere keren was ze doorgelopen terwijl beelden van rebellen en machettes haar hadden achtervolgd. Sara keek de andere kant op terwijl ze het meisje passeerde. Prince had gezegd dat ze geen geld moest geven, omdat er anders tientallen bedelaars en gehandicapten voor zijn huis zouden staan.

Dichtbij klonk geronk. Een log, legerkleurig vliegtuig vloog een paar meter boven de gebouwen op weg naar de landingsbaan aan de rand van Goma. Sara trilde. Ze kon er niet aan wennen. Meerdere keren per dag moest ze haar vingers in de oren stoppen. Witte VN-vliegtuigen maakten de minste herrie doordat ze klein waren en hoog vlogen. Maar sommige groengrijze bakbeesten waarvan ze de naam nooit kon ontcijferen, scheerden vaak rakelings over de huizen. Ze ademde diep en dacht aan de stilte van het eiland. Met een rechte rug liep ze verder. Nu geen heimwee. Ishovu was ver, en hier was haar plek.

In de verte hoorde ze de imam van de moskee roepen. Nog even, en ze zou thuis zijn. Op het moment dat ze de

huisjes van de buren voorbijliep, hoorde ze Nicolas opgetogen juichen. Sara dacht aan zijn dwarse gedrag en hu-
meurigheid. Ze glimlachte en stapte op de deuropening af.

'Warme ndazi, warme ndazi!' zong Nicolas.

'Je mag hem alleen opeten als je niet te hard schreeuwt.'
Sara hoorde een donkere stem en vroeg zich af of Prince
thuis was.

Ze legde het bundeltje kleren op de grond voor de deur.
Moest ze het huisje binnengaan of zou ze haar broer wat
rust gunnen bij zijn thuiskomst? Heel voorzichtig schoof
ze het gordijntje op een kier. De kleine Nicolas sprong in
het kamertje op en neer, happend in zijn oliebol. Ze rook
de bedwelmende geur van Rwandese thee. Even sloot ze
haar ogen, maar sperde ze open toen dezelfde zware stem
klonk.

Ze tuurde ingespannen en zag achter het springende ke-
reltje donkere schaduwen. Omdat ze niets anders kon ontwaren, duwde ze de lap stof in de deuropening een stukje
verder opzij.

Haar hart bonsde toen ze keek. Espérance zat tussen de
benen van een onbekende man op de grond en liet zich
hapjes ndazi voeren. Elke keer als de man achter haar een
stukje in haar mond stopte, kirde ze en vlijde zich overdreven in zijn armen. Sara kneep haar ogen half dicht. Was het
de chef du marché? Toen ze een hand naar de borst van Espérance zag grijpen, wist ze het. Het gebaar maakte haar
misselijk. Was dat de reden van ollebollen en dure thee om
half zeven 's ochtends? De geur van theebladeren mengde
zich met die van bloed. Ze zag een hagedis in blauw neonlicht en hoorde regen stromen. Met een ruk draaide ze zich
om, liep naar de achterkant van het huisje en pakte een van
de jutezakken. Ze zou houtskool gaan kopen. Of het nu nodig was of niet.

Onderweg naar de winkel herinnerde ze zich beelden van twee vrouwen die bij de pomp op Ishovu ruzieden. Ze trokken aan elkaars haren en vochten om het beste plekje voor hun bidons.

'Waarom heb je aan mijn man gezeten?' Sara hoorde de grootste vrouw nog schreeuwen. Moeder had haar aangespoord om door te lopen, maar ze was stil blijven staan.

'Wou je mij vergelijken met een *deuxième bureau*?' De andere vrouw trapte de volle jerrycan van haar tegenstandster om.

Het was op een gevecht uitgelopen waarnaar Sara als meisje met open mond had gekeken. Op een gegeven moment was ze op haar tenen naar de bidon geslopen en had hem overeind gezet, trots dat er nog een laagje water in zat. Ze was geschrokken toen een van de vrouwen haar terechtwees. Maar na de eerste schrik had ze gegild dat de vrouwen zuiniger met water moesten zijn. Moeder had haar een pets gegeven en meegenomen naar huis. Later had ze aan haar gevraagd wat een tweede kantoor betekende, maar ze had geen antwoord gekregen.

Nu wist ze zo veel beter. Ze dacht aan Espérance terwijl ze de winkel met houtskoolzakken binnenstapte. Had ze een minnaar naast Prince? Had ze nu wel of niet de afgelopen nacht met de marktbaas doorgebracht? Of sliep ze meer nachten met hem als zijzelf in Centre Uhakika verbleef? Espérance moest vast haar *règles* mijden. Geen enkele man wilde immers lichamelijk contact met een ongestelde vrouw?

Plotseling doemden de menstruatielappen voor Sara's ogen op. Was het toevallig dat ze de laatste tijd geen bebloede pagnes van haar schoonzus hoefde uit te wassen? Was ze zwanger? Sara wreef in haar ogen. Ze moest zich niet te veel rare dingen in haar hoofd halen, ze was gewoon moe. Ze kon toch niet bewijzen dat de chef du marché en Espérance met elkaar sliepen? Had die kerel wel de nacht in het huisje doorgebracht? Misschien was hij vanmorgen alleen langsgekomen om oliebollen en thee te brengen. Ze lachte hardop, waarop de verkoper haar verbaasd aankeek.

'Is je bruidsschat soms betaald?' De man flirtte met zijn ogen.

'Hé kaka, ik kom hier voor houtskool, begrepen?' Sara bevoelde de zwarte voorraad. 'Wat is de prijs?'

De man kwam naast haar staan en wees naar een grote zak. 'Vijfendertig dollar!'

Sara haalde haar eigen lege zak tevoorschijn en zei dat ze die voor de helft wilde vullen met houtskool. 'Uiteraard voor vijftien dollar!'

De verkoper sputterde tegen omdat haar zak een formaat groter was dan de exemplaren die in zijn winkel stonden.

'Weet je, ik ga gewoon naar de buurman hiernaast,' zei Sara achteloos terwijl ze wegliep. Ze werd aan haar arm getrokken en moest een verhaal aanhoren over een kind uit de familie dat zo veel ziekenhuiskosten had. Kon ze echt niet wat houtskool kopen? Hij had al zo weinig klanten.

Sara vroeg wat het kind mankeerde. Toen de man uitvoerig over operaties begon te vertellen, onderbrak ze hem. 'Maar dat rechtvaardigt toch geen woekerprijzen? Normaal is een zak van vijftig kilo zevenentwintig dollar!'

'Weet je niet dat vrachtwagenchauffeurs uit Rutshuru en Massisi al weken niet over de weg naar Goma durven te rijden? Rebellen weten maar al te goed hoe duur houtskool is en dat de stad afhankelijk is van import!' Hij zuchtte. 'Ik moet de prijzen wel verhogen, misschien duurt het maanden voordat ik nieuwe voorraad krijg.'

Ze discussieerden over de prijs en uiteindelijk sjouwde Sara een zak op haar rug de winkel uit. Toen ze thuiskwam, wachtte haar de stilte. Ze zag dat de voorraad maracuja's verdwenen was, zelfs alle sporen van het feestelijke ontbijt leken weggewist. Sara zakte door haar knieën en zette de houtskool op de grond. Op dat moment merkte ze pas hoe moe ze was. Ze waste haar voeten en ging op het matras liggen. Terwijl ze wegdommelde, dacht ze aan haar moeder die op dat moment al een paar uur van haar werkdag erop had zitten. Had moeder niet gezegd dat vrouwen hun leven lang moeten zwoegen? Was het niet op de akkers, dan wel als pakezel of, als je geluk had, achter een naaimachine.

Sara hoorde haar maag rammelen toen ze vaag de geur van oliebollen rook. Ze draaide zich op haar zij en herinnerde zich de vele keren dat ze als kind zonder eten naar school werd gestuurd. De tijden dat de visopbrengst schaars was omdat er veel wind stond, waren het moeilijkst geweest. Baba had dan weinig geld gekregen en spoorde moeder aan om nog harder op het land te werken. In de kerk hadden de *mamans* soms uren op hun knieën gelegen om voor regen te bidden, omdat hun maïs- en cassaveplanten in de zon verdorden. Vaak had Sara moeder mee horen zuchten. Onder het luisteren waren haar gedachten regelmatig afgedwaald door het gerommel uit haar buik. Ze verbeeldde zich dan dat er sombe of een geroosterde maïskolf op haar schoot lag, maar steevast veranderden die heerlijkheden voor haar ogen in vissenkoppen. Op die momenten had ze overal grote en kleine vissen gezien die boven, onder en tussen de kerkmensen door zwommen. Soms leek het alsof ze een spelletje speelden doordat ze almaar met hun glibberige schubben tegen mensenarmen en -benen aanschuurden. Moeder was een keer met haar mee de kerk uit gegaan omdat ze moest kokhalzen. Sara had toen gesmeekt of ze die dag iets anders mocht eten dan gefrituurde sambaza, maar moeder was onverbiddelijk geweest. 'Je weet toch dat de oogsten mislukt zijn en dat vaders vis het enige is wat we kunnen eten?'

Sara voelde zich wegglijden in een slaap. Voor haar ogen zag ze de gestalte van pasteur Joshua. Hij had die zondag gepreekt over Gods vloek over Adam, zodat hij voortaan hard moest werken voor zijn brood. Ze had gegrinnikt onder de dienst. Brood? Had haar verre voorvader het zo luxe gehad dat hij *beignets* kon eten? Later was ze boos geworden en had het stuk over Adam opgezocht. Stond er nergens iets over vrouwen die voor een paar dollar zwoegend de dag doorbrachten om hun kinderen te kunnen voeden? Ze had over Eva gelezen die veel kinderen moest baren. Maar misschien dat ze af en toe met een dikke buik maïsplantjes had verpoot.

Het beeld van pasteur Joshua vervaagde. Daarna verscheen Espérance in Sara's droom. Ze keek vermoeid en schudde de jengelende Marie in de draagdoek heen en weer. Plotseling haalde ze het kind van haar rug en legde het zomaar als marktwaar tussen de maracuja's voor haar op tafel. Vervolgens kleedde ze zich uit. Sara wilde schreeuwen, maar er kwam geen geluid uit haar keel. Devote lachte en sloeg een lap stof over het naakte lijf. Mannen die aan hun broekriem frunnikten, dropen teleurgesteld af. Op hetzelfde moment klonk over de hele markt gekletter van kookgerei. Sara hoorde pannendeksels ritmisch tegen elkaar klappen, zag vrouwen heupwiegend dansen en gleed weg naar een andere wereld.

Een feestelijke wereld van lang geleden.

Sara zat op het voorste puntje van de houten boot. Windvlagen speelden met de repen stof die uit de knoop van haar hoofddoek bungelden. Ze hoopte dat de pirogue een omweg zou maken voordat ze in Kalehe zouden aanmeren. Maar toen ze naar de donkere lucht keek, wist ze wel beter. Ze hoorde Prince achter zich praten. Haar vaders stem bromde erdoorheen. Die ochtend had ze het raar gevonden dat baba niet zelf zou roeien. Niemand wist toch beter hoe je een boot moest besturen? Wat zou er gebeuren als ze de verkeerde kant op zouden varen?

Toen ze nog aan wal stonden, had vader naar de jongen met de roeistok gewezen. 'Kijk onderweg maar goed hoe nat hij wordt! Mijn kostuum moet vandaag toch netjes blijven?' Daarna had hij een arm om haar heen geslagen. 'Ik zal wel een beetje in de gaten houden dat we goede koers houden. Jij wilt toch ook naar het feest?'

Heel even had ze zijn sterke armen om zich heen gevoeld, maar ze had zich snel uit de voeten gemaakt omdat ze het kinderachtig vond om met baba te knuffelen. Ze was toch twaalf? Al voordat de zon opkwam, was ze wakker geworden omdat ze alleen maar aan haar nieuwe pagne kon denken. Ze was van het matras gesprongen en naar moeder gerend. Die had haar geholpen om de rits van de rok en het bovenlijfje te sluiten. Baba was later de kamer binnengekomen. Vol bewondering had ze naar zijn deftige pak gekeken en samen hadden ze een rondedans gemaakt. Toen was het mooiste gekomen. Hij had een hoofddoek tevoorschijn gehaald in dezelfde kobaltkleur als het ensemble dat ze droeg. 'Die is voor jou, chérie!'

Sara dacht aan het aanstaande feest. Zou Espérance een mooie jurk dragen? Misschien was ze wel naar de kapper geweest om haar haren te laten vlechten! Zouden zij en haar moeder blij zijn met de lap stof die ze zouden krijgen? De boot schommelde doordat een motorboot voorbij voer. Sara draaide zich om en keek angstig naar haar vader.

'Gaat het goed, mtoto?'

'Hebt u de biljetten wel in plastic gewikkeld?' Een nieuwe golf benam haar de adem.

Sara hoorde Prince schateren. 'Ja, stel dat ze nat worden hè!' Ze zag dat hij baba in zijn buik porde. 'Denkt het kind echt dat we het geld vandaag geven?'

Heel even glimlachte baba. Daarna boog hij zich voorover en fluisterde dat de dollars al eerder in Kalehe waren aangekomen.

'Maar vandaag is de ceremonie!' Sara's stem vloog omhoog.

'Hoe zou jij het vinden als dieven vannacht ons huis waren binnengevallen om het geld te stelen? Iedereen op het eiland weet immers dat het feest van de bruidsschat vandaag gevierd wordt?'

Sara schrok en keek vol bewondering naar haar vader. 'Dus jullie hebben het in het geheim gegeven? Want de ouders van Espérance moesten al wel geld hebben voor het feest, toch?'

Baba knipoogde.

Bij het aanmeren van de roeiboot bij de steiger stond de aanstaande schoonfamilie van Prince hen al op te wachten. Begroetingen werden uitgewisseld en Sara maakte haar rug nog rechter toen gevraagd werd of ze die middag wilde helpen met het uitdelen van eten. Espérance leek net een aubergine in de paarskleurige jurk, vond Sara. Later toen ze op het feest sucres mocht rondbrengen, keek ze naar de dansende vrouwen. Kleuren dwarrelden voor haar ogen. Welke jurk was het mooist? Toen bekeek ze de gezichten en vergeleek alle ogen, lippen en wenkbrauwen met elkaar. Het langst keek ze naar Espérance. Soms keek haar nieuwe schoonzus heel blij, maar soms staarde ze ook heel vreemd naar het water. Alsof ze vaker dacht aan het blauw in de verte dan aan het dansen. Zou zijzelf later ook zo dromen als haar eigen ceremonie werd gevierd?

Een paar weken na het feest vond de bruiloft plaats. Sara droeg dezelfde rok en blouse, hoewel ze moeder had gesmeekt om een nieuw ensemble. Ze rook aan de blouse en was blij dat ze de zweetlucht eruit geboend had. De zon scheen fel. Sara kneep haar ogen half dicht vanwege de schitteringen op het water. In Kalehe liep ze met het hele gezelschap naar het kantoortje van de *chefferie*. Zou Espérance mooi zijn in haar bruidsjurk? Sara had haar nog niet gezien, omdat Prince de eerste was die zijn bruid bij het gebouwtje mocht zien. Ze hoorde baba achter zich vragen waarom ze zo veel haast had. Prince, die naast haar liep, keek haar lachend aan en samen snelden ze een paar meter voor de rest uit.

'Daar is de moeder van Espérance!' Sara hapte naar adem en begon te rennen.

Achter de vrouw in de verte verscheen iets wits.

'Zei ik niet dat ze mooi was?' Prince klonk opgewonden en struikelde bijna over zijn schoenen toen hij nog meer vaart maakte.

Bij aankomst zakte Sara hijgend op de grond. Ondertussen staarde ze onafgebroken naar de witte bruidsjurk. Zoiets moois had ze nog nooit gezien. Espérance was een engel. Alleen ontbraken er vleugels op de rug. Toen ze naar het boeketje van kunstbloemen keek, moest ze lachen. Zouden Mungu's knechten ook bloemen in hun hand hebben zoals de bruid?

Het geluid van een kapotte uitlaat verstoorde de rust. Sara zag een man in een deftig kostuum van een brommer afstappen.

'De afgevaardigde van de chefferie!'

Sara hoorde opgewonden kreten. Ze zag de vader van

Espérance op een drafje naar de man lopen. Kort daarna mocht het bruidspaar naar binnen. Alleen beide vaders en drie ooms mochten mee. Vrouwen legden pagnes op de grond voor het kantoortje zodat iedereen kon zitten.

'Ik ben de chef van de gemeenschap van Mbinga en...'

'Slechts van het zuiden van het gebied dat u noemt, monsieur.' Sara hoorde het geluid van Prince' stem naar buiten komen.

Er klonk geroezemoes.

'Vergeef de uitspraak van mijn zoon, hij is...'

'Onbeleefd! Laat hij opstaan en zijn respect voor mij tonen.'

Sara rekte haar hals en zag anderen hetzelfde doen. Niemand wilde een woord missen van wat er werd gezegd.

Daarna hoorde ze lange tijd ingewikkelde zinnen die ze niet begreep. Las iemand uit een boek voor? Ze verschoof met haar billen over de grond.

'Bruidegom, het is een eer dat mijn handtekening onder dit papier staat. Omdat u van het naburige eiland Ishovu komt, hoef ik u wellicht niet uit te leggen wat de naam Magadju betekent?'

'Troon, monsieur.' Prince' stem klonk kortaf.

'Zonder mijn belangrijke positie hier was uw huwelijk dus niet tot stand gekomen.' Sara hoorde mensen lachen. 'Weet u ook soms wat mijn andere naam betekent?'

'Bijwangala verwijst naar bananenbladeren die gebruikt worden als dakbedekking.'

'Neem uw bruid en wees gelukkig onder uw eigen huis dak.'

Beide families joelden en applaudisseerden. Sara stond op en klapte mee. Daarna liep ze met de stoet mee naar de kerk.

Al op afstand hoorde ze tromgeroffel. Bij binnenkomst

ontdekte ze jongens die op drums sloegen. Een jonge vrouw bewoog haar heupen terwijl ze zong. Het was schemerig en warm in het houten gebouw. Alleen uit de openstaande deur kwam licht. Even later stapte de pasteur binnen en begon de dienst. De preek duurde lang en Sara telde eindeloos de gekleurde vissen en letters op de pagnes van vrouwen. Net als bij de chefferie moest er iets in een boek getekend worden. Toen leek iedereen plotseling heel blij, want vanuit alle hoeken klonk er applaus. De mamans van de kerk kwamen naar voren en zongen een lied. Prince stond op en gaf hun een lap stof. Sara vroeg zich af of ze later ruzie zouden maken, want hoe moesten ze die nu eerlijk verdelen? Er werd nog meer gezongen en de vrouwen verzamelden allemaal dingen op het podium.

'Het huwelijk is breekbaar als een ei, zeker als een vrouw niet naar haar man luistert. Zorg ervoor dat je hem gehoorzaamt!' Een vrouw op wiebelende hakschoenen gaf een zak eieren aan Espérance en wees naar Prince.

Er klonk gejuich toen een andere vrouw de vloer voor het bruidspaar begon te vegen. Espérance pakte de bezem en gaf hem aan Prince. Sara hoorde haar broer lachen. 'Nee, jij moet het huis schoonhouden!'

Vanuit de donkere schemering flakkerde er plotseling een lichtje. Een pygmeevrouwtje liep door het gangpad met een petroleumlamp. Daarna knielde ze voor de bruid en overhandigde het schijnsel. 'Wees als een lamp voor je man en je familie!'

De laatste cadeaus waren twee pannen. Onder gezang kwamen vier vrouwen het podium op en dansten voor het bruidspaar. Toen de jongens ophielden met trommelen, bogen de vrouwen voor Espérance. 'Als vrouw moet je de geheimen van je huis bewaren!' Demonstratief hield een vrouw een deksel in de lucht en legde dat op een van de

pannen. 'Soms kan het moeilijk zijn om je mond te houden. Als je echtgenoot je slaat bijvoorbeeld.' Sara hoorde
een paar mannen lachen. 'Zelfs als je man zo veel van bananenbier houdt dat hij in zijn bed plast, moet je gewoon
stilzwijgend de lakens verschonen.' Er klonk gejoel. Met
een opgestoken hand maande de vrouw de families tot stilte. Toen liep ze op de bruid af en overhandigde de pannen.
'Bedek de geheimen van je huwelijk voor de ogen van anderen. Dan zul je gezegend worden door de Heer!'

Sara zag Espérance van de bank opstaan en een kleine
buiging naar de vrouwen maken. Daarna klonken er plotseling schallende geluiden. Sara begreep eerst niet wat er
gebeurde. Even later zag ze de bruid over het podium rennen met een pan en een deksel in handen. Ze zwaaide het
kookgerei door de lucht en liet het deksel op de pan klet-
sen. Het ritme versnelde. Sara zag dat de jongens achter
hun trommels kropen. Espérance tolde dansend rond in
haar bruidsjurk. Met felle slagen sloeg ze op de pan alsof
ze helemaal niet bang was dat er deuken in zouden komen.
Het leek een hele tijd te duren voordat Prince op haar af
liep en het deksel op de grond gooide. Iedereen lachte om
het schouwspel, maar Sara kreeg een vreemd gevoel in
haar buik. Was Espérance nu blij of niet? En waarom stonden haar ogen zo raar?

Zelfs onder het eten klonk het schelle geluid nog na in
Sara's oren. Ondanks dat ze aan een heuse kippenpoot
kloot, de lekkerste friet at en wel drie verschillende sucres
mocht drinken, leek het feest veel minder mooi dan eerst.
Toen haar buurman aan tafel een flesje cola omstootte die
haar kobaltblauwe rok besmeurde, begon ze te huilen.
Waarom gebeurden er zo veel dingen die ze niet begreep?

Primusblauw

Sara schrok wakker en tastte om zich heen. Opnieuw hoorde ze droge knallen. Met een sprong stond ze op van het matras en pakte haar mobiel. Ze keek op het schermpje en zag dat ze tot diep in de middag geslapen had. Even was het stil. Toen klonk er weer geratel. Ze telde. Negentien, twintig, eenentwintig.

'O Mungu, ontferm U.' Ze hoorde zichzelf Espérance nadoen. Begon ze op haar schoonzus te lijken?

Ze schoot haar slippers aan en rende naar buiten. Op straat stonden groepjes mensen. Ze liep op de buurvrouw af en vroeg wat er aan de hand was.

'Hoe moet ik dat weten? Het is nog maar net opgehouden. Misschien een achtervolging?' Ze snoof en stootte een andere vrouw aan. 'Het kind komt van Ishovu, hè.'

De andere vrouw keek naar Sara. 'Je bent natuurlijk niets anders gewend dan krekelgeluiden!'

Beide vrouwen barstten in lachen uit.

'Dachten jullie echt dat ik nooit geweervuur had gehoord?' Sara zette haar handen in haar zij. 'Zeker wel.' Ze dacht aan de keer dat ze een soldaat vlak bij Centre Uhakika ruzie had zien maken met een taxichauffeur. Ze had van een afstandje toegekeken hoe de militair met zijn wapen had gespeeld. Daarna had hij in de lucht geschoten. Ze had voorbijgangers weg zien rennen, maar was zelf blijven staan. Later had ze vaker dezelfde geluiden gehoord. Maar het was nooit meer zo dichtbij geweest. Ze deed een stap dichter naar de buurvrouw. 'Wees eens eerlijk, horen jullie vaak twintig of vijfentwintig schoten achter elkaar?'

De vrouwen leken haar amper te horen, zo druk gingen ze op in een nieuw gesprek. 'Zul je zien dat ze een vrachtwagen met goederen overvallen hebben. Dat was laatst ook zo!' De buurvrouw keek wijs.

'Nee, ze hebben het veel meer voorzien op geld. Let op mijn woorden, het is gewoon een winkeloverval!' Een vrouw met opzichtige make-up duwde een kind opzij. Sara keek naar de broek van de vrouw. Was ze echt een prostituee, zoals de hele buurt zei?

De gesprekken werden overstemd door het geluid van een brommer. Een man rende naar de motard en hield hem aan. Er klonk geroezemoes.

'Het is de winkel van de Libiër!' hoorde Sara de brommerjongen roepen. 'Gewapende mannen hielden de eigenaar onder schot en dwongen hem het kasgeld te geven.'

'Slim bekeken. Die buitenlander verdient toch te veel met zijn zeep en wasmiddel!' De broekvrouw keek fel.

Er klonk gegrinnik.

'Waren ze van M23?' Een oude vrouw stapte naar voren.

'Houd je mond, dada. Straks pakken ze je nog op!' Sara zag een oude man de vrouw een duw geven. Was het haar echtgenoot?

'Hij heeft gelijk, weten jullie niet dat ze al een tijdje de stad bespioneren, vermomd in burgerkleding? De rest van de rebellen is nog maar een paar kilometer van Goma. Je zult zien dat ze snel een aanval doen!' De prostituee keek uitdagend de kring rond.

'Kalm aan mensen, we hebben altijd nog de MONUSCO!'

De man die de brommerjongen had aangehouden, mengde zich in het gesprek.

'Die blauwhelmen?' De motard lachte spottend.

Sara keek hem aan. 'Ze hebben in elk geval niet kunnen voorkomen dat die winkel vanmorgen is overvallen.'

Er klonk instemmend gemompel.

Ze greep de jongen bij zijn arm. 'Waarom schoten de bandieten eigenlijk?'

Hij pakte een lap uit zijn achterzak en veegde modderspetters van de brommer. 'Toen ze de winkel uit liepen, zagen ze een politieauto langzaam voorbijrijden en dachten dat het om hen te doen was. De mannen openden het vuur, waarop de agenten in de open jeep terugschoten.' Hij knipoogde naar haar, gaf gas en riep dat hij ervandoor moest.

Het geluid van de brommer stierf weg en iedereen liep een kant op. Sara bleef alleen achter op straat. Haar borst ging onregelmatig op en neer. Ook nu het gevaar geweken was, bleef ze maar hijgen. Ze dacht aan David, die pas gebeld had om te vragen of het nog rustig was in Goma. Ze had gelachen en gezegd dat alles prima ging. Haar broer was boos geworden. 'Ik probeer je al dagen te bereiken! Waarom heb je niet doorgegeven dat je een ander telefoonnummer hebt?' Ze had gemompeld dat ze nog maar kort een nieuwe simkaart had. 'Ja, dat heb ik van moeder gehoord. Weet je niet dat het nog weleens spannend kan worden in Goma?' Ze had gezegd dat het veilig was in de stad en dat ze niets merkte van onrust of gevechten.

Vandaag leek alles anders. Sara dacht aan de prostituee die over spionnen van M23 had verteld. Zou haar broer toch gelijk hebben dat de rebellen dicht bij Goma waren?

Er klonk gebrom. Ze keek omhoog en zag een VN-helikopter boven haar cirkelen, alsof hij naar indringers speurde. In de verte vloog een helikopter van het regeringsleger.

Hielden ze de situatie in de gaten? Ze veegde langs haar neus. Het drong nu pas tot haar door dat ze de laatste weken steeds vreemde geluiden had gehoord.

De helikopter vloog zo laag dat ze haar vingers in de oren stopte. Haar hart bonsde. Ze haalde adem en begon te zingen. Het doordringende geluid boven haar slokte haar stem op. Toch bleef ze zingen, midden op straat. Alsof ze het witte ding met zwarte letters boven haar wilde tergen.

A toi la gloire, o Ressuscité!
A toi la victoire – pour éternité!

Een man met een volgeladen loopfiets liep langs haar heen. Hij schold haar uit omdat ze in de weg stond, maar Sara verzette geen stap. Ze balde haar vuisten en zocht met haar stem de hoogte op. De chukudu reed knarsend achter haar langs. Ze zong over de steen bij Jezus' graf terwijl ze naar lavakeien om zich heen keek. Met haar voeten stampte ze op de stenen totdat ze naar adem hapte. Toen ging ze op haar hurken zitten en neuriede baba's lievelingszin.

Il est ma victoire, mon puissant soutien,
Ma vie et ma gloire: Non, je ne crains rien.

Ze hoorde haar vader nog de woorden zingen toen het op een avond onweerde. Als klein meisje was ze uit bed gekomen en achter het kookgerei gekropen. De lichtflitsen waren zo fel geweest dat ze haar ogen had dichtgeknepen. Pas op het moment dat ze baba's stem dichterbij hoorde komen, had ze ze weer opengedaan. Hij had haar opgetild en haar op schoot genomen. Onder de donderslagen had ze haar hoofd op zijn borst gelegd, omdat de brommende geluiden daar vanbinnen zo fijn klonken. Want baba had in een taal gezongen die ze niet begreep. 'Il est ma victoire!' Toen het nog narommelde in de verte, had hij haar de zinnen een voor een aangeleerd.

'Zie je wel dat het helpt om te zingen? Het onweer is bijna voorbij!' Haar vader had haar in haar buik gekieteld.

'Maar de hagedissen dan? Er zit er altijd eentje verstopt achter het matras!'

'Zo'n roze babyhagedisje? Dat doet niets. Je hebt toch net gezongen dat je niet bang hoeft te zijn?' Hij had haar tegen zich aangetrokken en het laatste couplet opnieuw gezongen. Daarna had hij plotseling rare dingen geroepen. 'Oehoe! Onweer, maak dat je wegkomt! Oehoe! Hagedissen, ik breek jullie staart als jullie nog een keer onder het matras durven te kruipen!' Ze had geschaterd en hij had haar dansend terug naar bed gebracht.

Sara dacht aan baba's strijdkreten en glimlachte. Ze moest dapper zijn. Waarom was ze bang voor helikopters, geweerschoten en rebellen? Dan kon ze ook wel elk moment paniekerig gaan doen omdat de vulkaan zou kunnen uitbarsten. Ze stond op van de grond, rekte zich uit en liep terug naar het huisje.

De dagen na het geweervuur begon ze al te zingen voordat Espérance 's avonds de radio aanzette om naar de nieuwsberichten te luisteren. Natuurlijk stopte ze als de nieuwslezer begon te praten, maar het hielp haar om in hetzelfde ritme door te blijven ademen als waarin ze gezongen had. Vaak ergerde ze zich aan haar schoonzus, die vreemde dingen deed onder het luisteren. Op een avond spuugde ze zomaar alle bonen uit die ze had opgegeten, alsof Sara ze niet goed gekookt zou hebben. Ook was Espérance een keer heel lang met een spin bezig. Nadat ze hem eindelijk gevangen had, trok ze alle poten uit het achterlijf. De nieuwslezer praatte verder over veroverde dorpjes ten noorden van Goma, maar Sara had alleen aandacht voor Espérance' nagels die aan het harige beest plukten.

Ondanks de oorlogsdreiging ging Sara dagelijks naar de kliniek. Toen ze voor het eerst pantserwagens opgesteld zag in de straten, was ze er vlug langs gelopen. Later raakte ze eraan gewend, omdat de voertuigen bij het straatbeeld gingen horen. Paluku leerde haar nieuwe dingen en liet haar vaker alleen om kraamvrouwen of gewonden te verzorgen. Hij kwam later altijd even terug om te controleren of ze een wond goed gehecht of verbonden had. Soms mocht ze meekijken als hij iets deed wat ze nog niet eerder had gezien. Wanneer ze dan vragen stelde, legde hij de dingen uit die ze niet begreep. Op een dag nam hij haar mee naar het kantoortje.

'Vanaf vandaag ga je hier elke dag een uur zitten en in dit boek lezen.' De dokter wees naar een studieboek op zijn bureau.

Ze pakte het en bladerde erdoorheen.

'Kijk vooral naar de afbeeldingen. Ze zijn goed getekend en helpen je om ziektes te herkennen.' Paluku kwam naast haar staan en sloeg wat bladzijdes om. 'Het boek gaat ook over operatietechnieken bij keizersneden. Dat gedeelte moet je maar overslaan.'

Sara lachte. 'Ik denk dat niet ik dat hoef te lezen, maar iemand anders! Hoe lang is het wel niet geleden dat u operaties deed?'

'Bederf mijn dag nou niet door over het verbod van de inspecteur te praten. Ga hier zitten en lees de eerste twee hoofdstukken!'

Lange tijd boog Sara zich over het boek met ingewikkelde Franse zinnen. Sommige medische termen die ze niet begreep, schreef ze op een briefje. Ze keek op toen plotseling de deur openging. Paluku stapte binnen en legde het boek weg. Ze protesteerde en liet hem haar briefje zien.

'Aan het einde van de werkdag, mtoto. Je moet me helpen met een gewonde die net binnengekomen is.'

De dagen erna waren druk door tientallen hoogzwangere vrouwen die voor consult kwamen. Toch mocht ze van de dokter elke dag in zijn boek lezen. Soms vertelde Sara aan Espérance wat ze in de kliniek had meegemaakt. Hoewel haar schoonzus leek te luisteren, had Sara vaak het gevoel dat ze er met haar gedachten niet bij was. Wanneer ze dan op haar beurt naar Espérance' belevenissen vroeg, kreeg ze alleen te horen hoeveel maracuja's er verkocht waren. Sinds ze een paar keer naar Prince had geïnformeerd, wist ze dat hij in het rijtje met onderwerpen hoorde waarover ze maar beter kon zwijgen. Meerdere keren had ze gevraagd wanneer haar broer thuis zou komen. De eerste keren had Espérance gezegd dat ze het niet wist. Toen Sara na drie of vier weken opmerkte dat het toch wel vreemd was dat Prince nog steeds niet gebeld had, viel haar schoonzus tegen haar uit.

'Ben je nu echt zo dom? In Kigali werkt zijn Congolese nummer toch niet!'

'Hij kan toch gewoon een telefoon van iemand lenen?'

Espérance greep haar bij een arm. 'Weet jij soms meer? Heeft hij tegen jou gezegd wanneer hij terug zou komen?'

Sara rukte zich los en zei dat ze van niets wist. Binnen in haar bruiste het. Waarom liet haar broer niets van zich horen? En waarom wilde Espérance zo graag weten wanneer hij thuiskwam? Had dat soms iets te maken met die marktbaas?

In de regen liep Sara naar de kerk. Met een grote boog ontweek ze een modderige plas, maar ze werd alsnog nat door een brommer die vlak langs haar door het water reed. Ze riep de motard na, maar hij deed alsof hij niets hoorde. Geen enkele streep blauw was aan de lucht te zien. Alleen grijs kleurde de hemel. Sara tilde haar rok op en rende het laatste stukje naar de kerk. Bij de ingang zag ze koorleden hun paraplu's uitschudden. Druppels spetterden in het rond. Sara keek naar haar moddervoeten en liep naar het gras op het terrein. Terwijl ze haar slippers uit gooide en op blote voeten door het groen danste, voelde ze ogen in haar rug prikken.

'Moet je kijken hoe vies haar rok is! Waarom koopt ze geen paraplu?'

'Of goede schoenen in plaats van die eeuwige slippers!'

Sara draaide zich om en keek de koorleden vluchtig aan. Daarna rende ze nog sneller door het gras.

'Pas d'argent! Het is me nog steeds een raadsel hoe Claude het heeft opgelost met de contributie van...'

'Welke contributie?' Een stem klonk dreigend.

Sara stond abrupt stil en keek over haar schouder. Achter een geparkeerde auto kwam een wit overhemd tevoorschijn. Pas toen ze de bungelende gitaar zag, wist Sara wie het was. Ze keek naar Agnes, die zenuwachtig met haar hakjes langs een steen schuurde.

'Ik wil niemand meer over contributies horen!' Claude haalde het muziekinstrument van zijn schouder en wees naar de deur. 'Waarom verdoen jullie je tijd? Het drumstel had allang klaar moeten staan!'

Iedereen glipte door de deur naar binnen.

Sara pakte haar slippers en hurkte neer op het gras. Met snelle bewegingen veegde ze de modder van de zolen. Toen ze kracht zette om ook de aangekoekte resten ervan af te krijgen, zag ze twee puntschoenen op zich afkomen.

'Kom snel naar binnen, je vat kou in de regen!'

Ze keek omhoog. 'Ik weet mezelf prima te redden, hoor.'

'O ja, heb je niet iemand nodig die voor je zorgt?' Claude keek haar peilend aan.

Sara zweeg en veegde waterdruppels van haar wangen.

Claude trok de slippers uit haar handen en boende ze schoon in het gras. Daarna liep hij met haar mee naar de kerk. Bij de ingang hurkte hij op de grond en legde de slippers voor haar voeten. Met een buiging bood hij haar zijn arm aan. 'Madame, mag ik u helpen?'

Sara duwde hem opzij en lachte.

Tijdens de repetitie zag ze Agnes naar haar kijken. Had ze gezien dat Claude aan haar, het kind zonder hakschoenen en vlechten, aandacht had besteed? Sara dacht aan de handen die de slippers hadden schoongewreven. Ze hoorde een stem fluisteren: 'Zie je wel dat ik gelijk had dat je mooi bent?' Met haar handen op de heupen draaide ze heen en weer op de muziek. Toen ze Agnes nog steeds zag kijken, glimlachte ze naar haar.

Op hetzelfde moment sloeg een lichtflits door de kerk. Sara voelde de glimlach op haar gezicht bevriezen. Het geluid van de donder overstemde het zingende koor. Sara zag Pascal even fanatiek verder drummen. Regenwater gutste door de open ramen naar binnen. Een koorlid snelde ernaartoe om de vensters te sluiten. Plotseling viel het geluid van het keyboard uit. De peertjes aan het plafond doofden. Daarna flitste het weer en klonk er een harde klap. Sara hapte naar adem. Na een volgende donderslag stopte ook de rest van de vrouwen. Een man riep dat ze door moesten zingen. Pascal roffelde op de drum, maar het geluid van mannenstemmen hield later ook op.

De draperieën aan de muur achter de lessenaar kregen een bovennatuurlijke glans. De bliksem zette het blauw in brand. Een helwitte gloed verspreidde zich over de stof.

Even flakkerde het neonlicht op, daarna kreeg de muur-decoratie weer haar oude kleur. Sara keek met opengesper-de ogen. Ze zag de witte letters op haar zondagse pagne weer voor zich. *Jésus est la lumière!* Ze hoorde het onweer in de hut donderen, de bomen boven haar kreunen en het zware gewicht boven op haar heen en weer gaan. In de schemerige kerk zochten haar ogen Claude, maar ze kon hem niet vinden. Toen greep ze naar de pijn in haar onder-lijf en zakte op de grond.

In de verte hoorde ze stemmen. Waarom trok iemand de gordijnen dicht zodat ze weinig kon zien? Ze keek om zich heen en zag een man naast zich op de grond. Hij pakte een grote hagedis en liet hem voor haar neus bungelen. Daarna brak hij de staart in stukken, precies zoals baba zou doen. Ze lachte zoals ze nog nooit gedaan had.

Daarna hoorde ze het koor zingen over de majesteit van de Seigneur en lachte nog harder. De pijnscheuten duwden haar billen nog dieper het matras in. Plotseling flakkerde er licht en klonk muziek naast haar. Stond er een geluids-box? Iemand legde een arm achter haar rug.

'Ik blijf bij haar, regel jij het nieuwe lied maar!'

Sara voelde de kilte van de vloer door haar rok. Ze rilde, waarna ze zich aan de strelende bewegingen probeerde te warmen. Van heel ver klonk de donder. Maar Sara had voor-al aandacht voor het ritme van de bewegende hand op haar rug.

'Sara?'

Ze opende haar ogen en keek omhoog. Het zwart loste langzaam op. Een streep zonlicht legde een glans over de houten banken.

'Je bent in de kerk.' Sara hoorde Claudes stem achter haar. 'Als je kunt opstaan, breng ik je zo naar huis.'

Ze keek naar het koor. Waarom zat ze zomaar in haar natte rok op de vloer en zong ze niet mee?

'Kom, ga even in een bank zitten.' Claude hielp haar overeind.

Ze greep hem vast omdat alles haar duizelde.

Hij bracht haar naar de voorste bank. 'Ik speel nog even het laatste lied mee, oké?'

Sara keek hem na. De vlekken voor haar ogen verdwenen. Het kruis aan de muur kreeg zijn houtkleur terug, de kunstbloemen op de lessenaar hun mintgroene en roze tinten. Toen ze een paar regels van het lied gehoord had, stond ze op en liep naar het podium. Ze stak haar handen omhoog en zong de woorden mee, alsof ze zich niets aantrok van de starende blikken van koorleden.

Nadat alles in de kerk opgeruimd was, liep Claude met haar mee. Hij vroeg of ze een brommer wilde. Sara zei dat ze liever ging lopen. Om te voorkomen dat Claude van alles zou vragen, daagde ze hem uit over regenplassen te springen. Zonder zijn antwoord af te wachten, trok ze haar rok omhoog en waagde een eerste sprong. Daarna zette ze het op een lopen. Maar hij kwam haar achterna. De zon brak de lucht open en weerkaatste Sara's spiegelbeeld in het water. Ze stond stil en tuurde naar de rode hoofddoek aan haar voeten. Achter haar verscheen een overhemd.

'Ben je nog duizelig?'

'Nee, ik vind het gewoon leuk om mezelf te zien!' Sara bukte en zag het rood van de doek in de plas groter worden. Claude bewoog zijn schoen over het water. Haar gezicht vervormde door de golfjes.

'Als ik vader ben, ga ik met onze kinderen hetzelfde doen.' Claude lachte breeduit. Toen sloeg hij een arm om haar schouder. 'Beloof me dat je altijd zult blijven dansen door de regen zoals je vanmiddag deed!'

Sara trok zich los en rende verder. Ze stak haar handen in de lucht en maakte sprongetjes.

'Je hebt nog niets gezegd!'

'Ik beloof niets.' Ze nam een aanloop en vloog over een nieuwe plas water. Het volgende moment spatte het nat op. Haar voet gleed uit. Ze bukte zich en greep naar haar enkel.

'Saar!' Claude kwam op haar af en hurkte.

Ze beet op haar tanden en veegde haar rok schoon.

'We gaan naar Le Petit Bruxelles. Misschien hebben ze daar wel koude lappen.' Claude greep haar arm en wees naar de overkant.

Naast de ingang van het eetcafé stond een jeep geparkeerd. Sara keek naar de letters op de auto. Een chauffeur joeg een jongen weg die aan het portier voelde. Twee bejaarden drentelden met hun stok langs de openstaande deur van het café. Achter hen kwam een blinde man tevoorschijn die zijn hand ophield.

Sara voelde nieuwe pijnscheuten door haar enkel en wankelde. Een ober liep hen tegemoet en wees naar een tafeltje. Toen ze op een stoel ging zitten, zag ze Claude met de man meelopen naar de bar. Sara sloot haar ogen en deed ze pas weer open toen ze een waterstraal achter zich hoorde. Ze keek om zich heen en zag een standbeeld van een naakt, plassend jongetje.

Op het verhoogde deel van het restaurant was een groep mensen aan het eten. Twee blanke mannen zaten in haar blikveld. Sara bekeek ze vluchtig, maar had vooral oog voor het enorme schilderij achter hen aan de muur. Ze vroeg zich af wie het gemaakt had en waarom de huizen rare trapjes op de daken hadden.

Later werd ze opgeschrikt door stemmen. Claude sjouwde een emmer. Achter hem liep een ober met een laken over zijn arm.

Water gutste over de rand toen de emmer op de grond werd gezet. Sara stak haar voet in het water en slaakte een kreet.

'We hebben er stukken ijs in gedaan.' Claude dompelde het laken onder en haalde het druipend weer tevoorschijn.

'Heeft hier iemand hulp nodig?' Sara hoorde een mannenstem. Ze keek op en zag een van de blanke mannen op zich afkomen. Het volgende moment hurkte hij bij de emmer en haalde haar voet voorzichtig uit het water.

'Hé *mzungu*, dat gaat niet zomaar!' Sara's stem vloog omhoog.

'Rustig Sara, hij is van MSF.'

'MSF?' Ze keek vragend naar Claude.

De man maakte een kort gebaar naar zijn polo en bevoelde opnieuw haar enkel. 'Voor zover ik het kan bekijken, is er niets gebroken. Nog een uur je voet omhoog en koelen met deze lap.'

Sara staarde naar het T-shirt. Ze zag een wit figuurtje wegrennen tussen rode, schuine strepen. Het was hetzelfde logo als op de jeep buiten! Toen pas leek ze de zwarte letters te zien. *Médécins sans frontières*. Ze frunnikte aan het laken. 'Ik wist niet dat u arts was!'

De man wikkelde de lap stof vakkundig om haar enkel en liep glimlachend terug naar zijn tafel. Claude vroeg wat ze wilde drinken en stapte naar de bar. Uit de geluidsbox klonk een nieuw liedje. De muziek herinnerde haar aan de mannenstem uit de speakers van het taxibusje. '*You are my girl, forever, for-èver!*'

Sara zag een groepje jongens bij de ingang staan. Ze wezen naar de reclame van Primusbier. De oranje letters staken scherp af tegen de typische, felblauwe achtergrond. Een knul met rastahaar pakte een serveerster bij de arm. Het meisje rukte zich los en snelde naar de koelkast voor het bier. De jongen riep iets naar zijn kameraden, maar Sara kon hem niet verstaan omdat de muziek te hard stond. Ze zag de jongens uitbundig lachen en elkaar op de schouders slaan.

Sara draaide zich een kwartslag en probeerde zich op het schilderij te concentreren. Terwijl ze de vorm van de huizen bestudeerde en naar het liedje luisterde, zag ze vanuit haar ooghoeken iets roods op zich afkomen. Een bekende stem imiteerde de zanger. 'You are my girl, forever, for-èver.'

Toen ze opzij keek, zag ze het baseballpetje.

'Kijk, hier is mijn chérie!' De lucht van zelfgebrouwen bananenbier sloeg haar in het gezicht.

Sara sloot haar ogen. Daarna keek ze hem spottend aan. 'Heb je hier ook al kasigisi kunnen vinden?'

Hij kwam op haar af en blies in haar gezicht 'Lekker, hè!'

Ze verschoof op haar stoel.

'Heb je te wild gestoeid met je vriendje?' Met een bruusk gebaar tilde hij haar omzwachtelde voet op.

'Ga weg!'

'Bij mij in de hut had je geen lakens.' Zijn handen bevoelden de stof om haar enkel. 'Maar je hebt die zondag wel genoten, hè?'

Sara beet op de binnenkant van haar wangen.

'Toe chérie, lach eens lief naar me. Ik heb je zo gemist!'

'Wie heb je gemist?' Sara hield haar adem in toen ze Claudes stem hoorde.

'My girl!' Met schorre stem begon hij het liedje opnieuw te zingen.

'Je bent dronken, Sultan!'

'Blijf zitten, Sara. Ik regel het wel.' Claude keek dreigend.

'You are my girl...' De bierlucht kwam dichterbij. 'Niemand kan mijn dada mpenzi van me afpakken.' De lippen kwamen bij haar oor.

'Wegwezen hier!' Claude schopte naar hem.

'Doet ze het nog steeds goed?' Hij greep naar de vale spijkerstof bij zijn kruis. 'Ze was alleen een beetje bang voor onweer toen, haha!'

Sara hapte naar adem. Zwarte vlekken dansten voor haar ogen. Ze hoorde Claude om een ober roepen.

Toen de vlekken verdwenen waren, zag ze dat Claude, de ober en de blanke dokter Sultan beetpakten en naar de deur duwden. Er klonken stemmen. Waren het dezelfde jongens als bij de bar? Daarna hoorde Sara alleen nog muziek. Ze veegde langs haar neus en vroeg zich af of ze ongemerkt het eetcafé kon verlaten.

'Saar, ken je die jongen?' Ze greep om zich heen toen ze Claudes stem hoorde.

'Hij komt van Ishovu.' Ze slikte en wikkelde het laken van haar voet. Daarna stond ze langzaam op. 'Bedankt voor de Fanta.'

'Had je iets met hem?'

'Ik ga naar huis.' Sara's stem trilde.

Claude keek haar aan. 'Heeft hij vroeger dingen gedaan die je niet wilde?'

'Je zag toch dat hij dronken was?' Ze wreef langs haar hoofddoek. 'Vroeger dronk hij al bananenbier.' Met beide handen steunde ze op de tafel en kwam overeind.

'Ik loop met je mee!'

'Apana!' Ze schudde haar hoofd. Toen hij bleef aanhouden, zei ze dat ze maar een klein stukje hoefde te gaan.

Sara schoof de stoel opzij en liep een paar passen. Ze zag Claude zijn gitaar pakken en wat Congolese francs op de tafel leggen.

Haar hart bonkte. Ze moest Claude zo snel mogelijk zien kwijt te raken. Op het moment dat ze hem naar het gezelschap van de dokter zag lopen, glipte ze naar buiten. De blinde man stond er nog steeds en bedelde om geld. Zonder iets te zeggen liep ze langs hem heen. Haar enkel gloeide. Toen ze vlak bij de moskee was, keek ze pas achterom.

Niemand volgde haar.

Golfplatengrijs

Ze draaide zich langzaam om. Waarom was haar nooit opgevallen hoe grauw Goma was? Zelfs de Airtel- en Coca-Colareclames verbleekten bij de grijskleur van lava en golfplaten. De meeste gebouwen bestonden uit een slordige opstapeling van brokken steen. Alleen de voorkant van de winkels waarop merknamen prijkten was gladgestreken. Sara liep langs een gevel die kobaltblauw was geschilderd. De witte letters van Vodacom op de muur maakten het blauw nog intenser. Plotseling lachte ze. Wat zat ze te staren naar het verschil in dikte tussen de letters 'Voda' en 'com'? De telefoonaanbieder trok sowieso wel aandacht. Ze verschoof haar rok en liep verder.

Thuisgekomen vulde ze een emmer met water. In het huisje pakte ze een pan, een stuk schuurwol en een krukje en liep ermee naar buiten. Sara ging op de kruk zitten, wipte haar slipper uit en stak haar voet in de emmer. Tegelijk doopte ze de wol in het water en begon de pan te schuren. Langzaam verdween het gloeiende gevoel in haar enkel. Het water in de emmer kleurde bruin. Ze zette kracht en wreef over de onderkant van de pan.

Terwijl haar handen heen en weer bewogen, zag ze Sultan weer voor zich. Zijn ogen hadden haar spottend aangekeken vanonder zijn baseballpet. Hij had het over lakens gehad en over die zondag in de hut. Wat moest Claude wel niet denken? Een vaalblauwe spijkerbroek verscheen op haar netvlies. Ze pakte de schuurwol steviger beet. Waarom had Sultan naar zijn kruis gegrepen? En waarom had hij suggestieve opmerkingen gemaakt, juist toen Claude van de bar was teruggekomen? Met stevige halen schuurde ze op de aangekoekte aanslag, alsof overal nieuwe lagen opdoken die ze niet eerder had gezien. Toen het laatste zwart hardnekkig bleef zitten, smeet ze de pan van zich af. Even staarde ze hem na. Daarna haalde ze haar voet uit de emmer, stond op en liep naar het weggerolde kookgerei.

Terug bij de kruk schepte ze met beide handen water uit de emmer. Roestbruin vocht droop tussen haar vingers door. Sara keek ernaar. Ze duwde de pan onder water en hield hem in de lucht. Het volgende moment goot ze hem leeg boven haar hoofd.

'Dag water. Dag druppel.'

Ze bukte en bonkte met haar hoofd tegen de emmer. Haar lichaam schokte terwijl het bruine water uit haar hoofddoek sijpelde. Later kwamen de tranen. Ze legde haar hoofd in haar schoot en huilde totdat ze buiten adem was. Wat moest ze doen als Sultan haar vaker zou bedreigen? En hoe kon ze Claude ervan overtuigen dat er niets gebeurd was tussen haar en Sultan? Misschien moest ze hem niet eens overtuigen en gewoon het contact verbreken. Met een ruk trok ze de hoofddoek van haar hoofd. Terwijl ze de lap stof uitwrong, zag ze Claudes donkere ogen weer voor zich. 'Heb je niet iemand nodig die voor je zorgt?'

Haar vingers omknelden het natte rood. Waarom was het zo moeilijk geweest om haar geheim voor hem te verzwijgen? Misschien zou hij een arm om haar heen hebben geslagen als ze het zou hebben verteld. Hij was verliefd op haar. Dat wist ze. Haar verleden zou veilig bij hem zijn.

Plotseling leek het alsof de brandende steken in haar onderlijf weer terugkwamen. Dacht ze nu echt dat Claude verder wilde met haar? Ze bukte voorover en duwde haar hand onder haar pagne. Wat er vroeger was gebeurd, was haar eigen schuld geweest. Ze had nooit met Sultan de hut binnen moeten gaan. Haar enkel gloeide toen ze naar de jerrycans achter het huisje liep. Ze moest schoon water halen en zichzelf schrobben. Haar hoofddoek, haar voeten, haar lijf.

Terwijl ze zichzelf in het washokje waste, hoorde ze in de verte de stem van Espérance. Met een mok goot Sara water over haar hoofd. Rillend spitste ze haar oren, maar ze kon niet verstaan wat haar schoonzus zei. Even later schoof ze de lap opzij die als omheining van het hokje diende. Ze liep langs de zijkant van het huis en hoorde vanuit het raam stemmen. Het liefst wilde ze naar binnen gaan om schone kleren te halen, maar iets weerhield haar daarvan. Zei Espérance iets over dollars?

Er klonk een andere vrouwenstem. Sara deed een stap dichter naar het raam.

'Ik weet niet hoe ik meer geld bij elkaar moet krijgen. De verkoop van maracuja's loopt de laatste weken al zo achteruit.'

'Heb je wel genoeg voor het eerste trimester?'

'Eerste trimester?' Sara hoorde een kreet. 'O nee, nooit aan gedacht!'

'Je wilde het kind toch naar school doen? Enfin, aan een uniform kan ik zelf nog wel komen, maar het schoolgeld moet jij betalen!' De vrouwenstem snerpte.

Er bonkte iets op de vloer. Viel er een krukje om? Daarna hoorde Sara de vrouwen zachter praten. Ze wipte op haar tenen om dichter bij het hoge raam te komen. Waarom begon Marie juist nu te huilen?

'De oogsten zijn tegengevallen, dus ik kan je niet helpen. Het maandbedrag blijft net zo hoog!' Het was even stil. 'Nee mtoto, je weet best dat dit onze afspraak is.'

'Maar hoe moet het dan? Ik heb Marie en Nicolas ook nog!' Espérance' stem klonk wanhopig.

'Toe Espie, zolang jij elke maand wat extra Congolese francs bij elkaar weet te krijgen, is er niets aan de hand.' De vrouw klakte met haar tong. 'Is Prince nog steeds op reis?'

Espérance zei iets, maar Sara kon het niet verstaan. Even later stopte het gejammer van Marie. Ze bracht haar oor dichter bij het raam toen ze haar eigen naam hoorde noemen.

'Is het kind echt zo nieuwsgierig?' Er klonk een lach.

'Er valt weinig te lachen. Sara weet ook al dat ik geld spaar. Voor je het weet, hoort ze meer en vertelt ze dingen door aan Prince!'

'Kom, kom, zo slim is ze toch niet?'

'Doe niet zo stom, mama. De muren hebben oren!'

Er klonk weer gebonk. Daarna hoorde Sara alleen nog maar gefluister. Plotseling walgde ze van het 'Espie' dat ze telkens hoorde. Waarom had ze niet eerder in de gaten gehad dat de vrouw gewoon Prince' schoonmoeder was?

'Heeft hij nog wel genoeg kleren?'

'Ik naai elke keer lappen op het kniestuk van zijn broek. Maar de twee T-shirts die hij heeft, worden echt te oud. Hoeveel kun je missen?'

Het draaide voor Sara's ogen. Wie had er een kind? Was dat Espérance? En waarom deden ze zo geheimzinnig over geld? Ze wipte op haar tenen. Haar enkel gloeide. Terwijl de vrouwen fluisterden, dacht Sara aan de marktbaas. Was het kind van hem? Opeens begon haar lijf te jeuken. Haar voeten tintelden. Haar benen kriebelden. Met een hand sloeg ze denkbeeldige muggen weg. Met de andere greep ze naar haar keel en haalde diep adem, maar het ongemakkelijke gevoel ging niet weg. Proestend en kuchend boog ze zich voorover.

'Wie is daar?'

Het laken voor het raam was weg. Sara keek naar een loshangende sliert van Espérance' hoofddoek. Hoe was haar schoonzus zo snel op een kruk of stoel geklommen om door het gat in de muur te kijken? Sara sloop opzij om uit haar blikveld te verdwijnen.

'Ik heb je wel gezien, hoor. Waarom stond je ons af te luisteren?'

Het volgende moment vloog er iets door de lucht. Sara deed een stap opzij, maar kon niet voorkomen dat een plastic beker haar bovenbeen raakte.

'Hier heb je alvast het eerste huisraad. Ik wil je niet meer in huis hebben!'

Sara raapte de mok op en wilde hem teruggooien. Toen hoorde ze gefluister vanuit het huisje. Vervolgens verscheen het gezicht van Espérance' moeder voor het gat in de muur. 'Waarom kom je niet even binnen, dan kunnen we praten! Het geeft niets dat...'

Sara staarde naar de bewegende lippen boven haar. Waren die van dezelfde vrouw die haar schoonzus 'Espie' had genoemd? Ze speelde met de beker in haar hand en liep naar de voorkant van het huis.

Op het lage tafeltje in de hoek lagen stapeltjes biljetten. Sara keek naar het kleurverschil tussen de dollars en de Congolese francs. Espérance griste het geld weg toen Sara ernaar bleef kijken.

'Waarom ben je zo nat, dada?'

'Nooit van wassen gehoord?' Sara draaide zich om en wierp een vluchtige blik op Prince' schoonmoeder.

'Onzin. Je hebt ons afgeluisterd!' Espérance' stem trilde.

'Voel dan aan m'n pagne!' Sara deed een stap naar de vrouwen.

'Ze heeft zich eerst gewassen en is daarna natuurlijk onder het raam gaan staan.'

'Als jij je mond had gehouden, was er niets aan de hand geweest!' Espérance keek haar moeder fel aan.

Sara liep naar het zeil om droge kleren te pakken. Net voordat ze de witte doek wegschoof, wankelde ze. Ze greep naar haar enkel, maar kwam weer overeind.

'Wat heb je aan je voet?'

Met gefronste wenkbrauwen keek Sara naar Espérance' moeder.

Espérance kwam op haar af en wees naar Sara's enkel. 'Zeker te wild gevrijd met dat vriendje van wie je dure bijbels krijgt?'

'Laat hem erbuiten.'

'Lag hij met heel zijn gewicht op je onderbeen?' Espérance lachte. 'Alle begin is moeilijk, hè!'

Een waas kwam voor Sara's ogen. Ze bewoog haar hand omhoog en wilde slaan. Ze liet hem echter zakken en veegde langs haar neus. 'Je hebt het wel over jongens met wie ik zou slapen, maar...'

'Ja, wat maar?'

'... maar jij hebt een kind op Kalehe!'

Het volgende moment stormde Espérance op haar af, trok de plastic beker uit haar handen en duwde haar naar de deur.

'Espie, laat haar toch!' Sara hoorde de stem van de moeder achter zich.

Ze rukte zich los. 'Ik heb toch gelijk?'

Even keek Espérance haar aan, daarna hurkte ze op de grond en sloeg haar armen voor haar borsten. Met trage bewegingen wiegde ze haar bovenlijf heen en weer. Sara hoorde haar zoemende geluiden maken.

De moeder zei iets, maar Espérance staarde met lege ogen voor zich uit. Toen begon ze plotseling te lachen. Ze priemde met haar vinger naar Sara. 'Ik een kind?' Met haar vlakke hand sloeg ze op haar buik. 'Twee is genoeg, hoor!'

'Ze heeft het toch al gehoord, mtoto.'

'Eén plus één is twee.' Espérance' lach klonk hees. 'En twee plus één is?' Ze hield haar hoofd schuin.

'Drie?' hoorde Sara zichzelf zeggen.

'Dat wist je niet, hè!'

'Ik ga koken.' Met een ruk draaide Sara haar schouders naar achteren en pakte een zak met meel. Terwijl ze naar de deur liep, hoorde ze gefluister. Ze keek over haar schouder en zag haar schoonzus voorovergebogen met haar moeder praten. Waarom deden ze zo geheimzinnig? Waarvoor dienden de geldbiljetten die werden weggegrist? Sara gooide de zak op de grond. 'Vertel nu maar gewoon wat er aan de hand is!'

Espérance keek haar verwilderd aan. Met een greep haalde ze drie biljetten van vijfhonderd Congolese francs vanonder haar pagne tevoorschijn. Ze liet ze voor het gezicht van Sara bungelen. 'Twee plus één is?' Ze lachte totdat ze naar adem hapte.

Sara zag de moeder aan Espérance' mouw trekken. Het geschater stopte. Haar schoonzus staarde met doffe ogen voor zich uit. Vervolgens legde ze het hoofd in haar schoot en barstte in huilen uit. Sara keek naar de schokkende bewegingen van het T-shirt. De rafels in de halsopening dansten mee.

'Ze trokken op het land de hak uit m'n handen en...' Espérance haalde gierend adem, '... toen namen ze me mee.'

Sara keek de moeder aan. Wat gebeurde er? Het volgende moment zag ze Espérance haar rok omhoog trekken.

Haar schoonzus graaide met haar hand tussen haar benen. 'Ze kwamen na elkaar.'

'Espie!'

'Ik kan me de eerste twee niet meer herinneren, maar de derde had een Tutsi-neus.' Plotseling kwam ze omhoog en keek Sara recht aan. Er verscheen een vreemde gloed in haar ogen. 'Wat had ik gezegd over de rekensom?'

Sara zweeg.

'Nou?' Espérance stond op en schopte tegen de zak meel.

'Moet het kind alles weten?' hoorde Sara de stem van de moeder achter zich.

Ze keek naar Espérance, die op grond hurkte en haar armen voor haar borsten sloeg. De zoemende geluiden kwamen opnieuw. Sara zag haar schoonzus met haar ogen dicht heen en weer deinen, alsof ze zich in een andere wereld bevond.

De moeder knielde naast de dochter. In de verte hoorde Sara de sussende stem van de vrouw. Waarom moest ze nu denken aan het telefoongesprek tussen beide vrouwen een tijdje geleden? Espérance had op die dag ook op de grond gezeten en zich wiegend heen en weer bewogen. Het nieuws over de zwangere Nadia had haar doen snikken, krijsen en vloeken. Sara rilde. Zou de opengesneden buik van Espérance' nichtje wel weer genezen zijn? Ze keek naar haar schoonzus en vroeg zich af waarom ze onder haar rok had gegrepen en wat die rare getallen ermee te maken hadden.

'O Mungu, wat heb ik gedaan!' Espérance hief haar handen in de lucht. 'Heeft ze het echt gehoord?'

Er klonk gefluister.

'Ik had toch niets gezegd over de *wayomba?*'

'Ze weet nu toch al meer dan je wilt, mtoto.'

'Maar als Prince het te weten komt?'

Sara hoorde haar naam noemen. Ze bukte en raapte de zak meel van de grond en wilde naar buiten lopen.

'Ze is al zo nieuwsgierig, ik word er niet goed van!'

Sara draaide zich om en keek naar haar schoonzus. 'Weet je waar ik niet goed van word? Van dat gedoe hier!' Ze stampte met haar goede voet op de vloer. 'Wat mag mijn broer niet weten?'

Er klonk weer gefluister.

Sara deed een stap naar voren. 'Nou? Heb je soms een buitenechtelijk kind?' Met beide handen kneep ze in de jutezak. 'Dat krijg je met dat geflirt met die marktbaas van je, hè!'

'Het is niet waar!' gilde Espérance.

'Marktbaas?' De moeder plukte aan haar blouse.

'Het kind is al zes, dus dat kan helemaal niet!' Espérance' ogen vlamden.

'Zes?' Sara staarde naar het gezicht tegenover haar.

Opeens voelde ze een hand op haar arm. 'Alsjeblieft, dada. Zeg het tegen niemand. En vooral niet tegen Prince!'

'Maar...?' Sara keek de beide vrouwen om de beurt aan. Het oplichtende bruin in de ogen van haar schoonzus doofde.

'Espérance is door drie militairen meegenomen.'

Sara slikte.

'Daaruit is een kind geboren. Maar dat was allang voordat je Prince leerde kennen, hè?' De moeder knikte bemoedigend naar haar dochter.

Er klonk gesnik.

'Dus ze kan er niets aan doen, nietwaar?' De stem snerpte.

Ze keek en zag haar schoonzus op haar hurken zitten. Toen staarde ze naar de beringde hand die aan de rafels van

Espérance' T-shirt trok. Waarom deed de moeder zo? Nog even en Sara zou weer sussende geluidjes horen. Ze boog zich voorover. 'Waarom weet mijn broer van niets? Heb je echt al die jaren niets gezegd?'

De twee vrouwen op de grond zwegen.

Sara bukte en kokhalsde. Waarom liet het beeld van een bloederige buik haar niet los? Ze keek naar haar schoonzus en vroeg zich af of ze net als Nadia het bos in was meegenomen. Een nieuwe golf maagzuur brandde in haar keel. Ze snelde naar een teil in de hoek van de kamer en gaf over. Daarna liet ze zich langzaam op de grond zakken.

In de verte hoorde ze Espérance huilen. Boven haar tikte de regen op het golfplaten dak. Ze opende haar hand en verzamelde de druppels. Was er verschil tussen tranen en hemelwater? Sultan wierp een visdraad met haken naar haar toe, maar ze hield haar mond stijf dicht. Met haar natte hand greep ze onder haar pagne. Sultan vervaagde en maakte plaats voor drie militairen met reusachtige neuzen. De mannen grijnsden naar elkaar terwijl ze op haar af liepen. Sara deed een stap terug, sloeg haar armen om haar borsten en wierp zich op de koude vloer.

Terwijl ze zich rollend voortbewoog, kwamen de herinneringen. Ze grepen haar lichaam, speelden ermee en leken het onder water te willen duwen. Ze haalde moeizaam adem, vocht terug, maar verloor.

Petroleumgeel

'Ja, die beweging is goed. En om de twee slagen pas ademen!'

Sara lag met haar gezicht in het water en boog haar arm achter haar schouder. Ze hoorde David roepen dat ze de arm onder water moest strekken als een peddel. Ze trappelde met haar benen terwijl haar bovenlijf naar links en rechts draaide. Om beurten bewoog ze haar armen, die steeds vloeiender het water voortstuwden. Plotseling draaide alles voor haar ogen en hapte ze naar lucht.

'Je moet een ritme zoeken, Sara. Na elke twee slagen je mond uit het water halen en ademen!' David greep haar voet en kietelde haar.

'Ik maak je nat, hoor!'

'O ja, kunnen kleine meisjes dat?'

'Ik ben niet klein, volgende week word ik negen!' Sara schepte water met haar handen en gooide het naar haar broer.

Het volgende moment werd ze opgetild en verder het meer in gedragen. 'Nee, niet doen!' Haar stem sloeg over.

'Jawel, je weet toch wat vader heeft gezegd?'

Sara probeerde zich los te worstelen. 'Heb je niet gezien hoe goed ik al kan zwemmen?'

'Je weet hoe baba is. Je mag pas met hem mee als je niet bang bent om kopje onder te gaan.'

Met een zwaai wierp David haar van zich af.

Sara's gil werd gesmoord door water. Waar was het zand onder haar voeten? Ze sperde haar mond wijd open toen een donkere schaduw haar beetpakte. Het water smaakte vies. Werd ze meegenomen naar het hol van de krokodil? Groene vlekken dansten voor haar ogen en heel even leek het alsof ze de glibberige schubben van het beest kon voelen. Ze slikte het water door en hapte naar adem. Nog even, en ze zou door de krokodillenfamilie worden opgegeten. Baba had immers verteld dat die beesten alles opvraten wat ze tegenkwamen? Mopperde hij niet altijd op de gaten in zijn visnetten? De greep om haar bovenlijf verstevigde zich. Ze liet zich meevoeren, omhoog naar het licht. Het laatste stukje rukte ze zich los en zwom met kracht naar de duizenden lichtjes boven haar.

'Ik had je mooi te pakken, hè!' Er dook een hoofd naast haar op.

Sara spoog water naar hem toe. 'Het is niet eerlijk, je zou me leren zwemmen in een ondiep stuk. Ik had wel dood kunnen gaan!'

'Ik hield je toch vast onder water?' David keek haar aan. 'Je weet nu dat het belangrijk is om...'

'Om...?' Zodra ze grond onder haar voeten voelde, zette ze uitdagend een hand in haar zij.

'... om zowel boven als onder water altijd je ogen open te houden. Als je dat gedaan had, had je geweten dat er geen enkel groen beest te bekennen was.' Plagend gooide hij water naar haar toe. 'Je dacht aan krokodillen, of niet?'

Sara stormde op hem af.

'Baba heeft het tegen jou altijd over krokodillen. Maar het zijn gewoon eenden, hoor, die aan zijn netten knagen!'

Het volgende moment stoeiden ze over de zanderige bodem van het meer. Nadat ze proestend boven water kwamen, keek David naar de lucht. 'We moeten de jerrycans vullen en naar huis gaan.'

'Nog even!' Sara keek naar de bodem terwijl ze zich voorover wierp. Onder water hield ze voor het eerst haar ogen wijd open. Ze staarde naar het zand dat opstoof en de draderige algen die langs haar lichaam gleden. Soms leek het alsof er kleine en grote vissen wegschoten. Of waren het schaduwen van vogels die ze achterna zwom? Met haar armen deed ze de figuren na en ze zag hoe het zonlicht de wereld onder water betoverde. Toen ze weer bovenkwam, lachte David.

'Voordat we naar huis gaan, moet je nog tussen mijn benen door zwemmen.'

'Ik durf niet.'

'Jawel.'

'Nee.'

'Je wilde toch met vader mee, het meer op? Misschien gooit hij je wel overboord om de netten te controleren.'

'Ik bots straks tegen jouw benen omdat je expres het gat klein maakt! Of ik word gebeten door krabben!'

'Die beestjes doen niets.' David wees naar zijn benen. 'Kijk maar, ik zet ze wijd neer!'

Sara keek om zich heen, strekte haar armen en dook naar beneden. Ze opende haar ogen en keek naar de driehoek waar ze doorheen moest zwemmen. Water stuwde langs haar lichaam. Ze dook dieper en bewoog zich vloeiend onder haar broer door. Applaus klonk toen ze boven water kwam.

'Zie je wel dat het je lukte? Vanaf nu nooit meer aan krabben en krokodillen denken.' David gaf haar een por. 'Hoe lang heb je niet gezeurd om mee te mogen vissen?

Baba zal trots op je zijn!'

Later vulden ze de jerrycans en liepen ze over de zandweg naar huis, terwijl haar broer over zijn studie in Bukavu praatte. Hij had het over dokter worden en dat je er veel voor moest opgeven. Dat het net zoiets betekende als onder water zwemmen. Sara begreep het niet en dacht aan draderige algen, vissen en opstuivend zand.

Soms leek ze baba in de verte al te zien, maar elke keer was het een andere man die zomaar in de brousse verdween.

Het water in de jerrycan op haar hoofd klotste heen en weer. Ze bewoog zich voort, deinde mee en luisterde naar het ritme. Terwijl ze haar broer probeerde bij te houden, drukten haar slippers de letters in het zand. Baba zal trots op je zijn. Zonder om te kijken wist ze het woordspoor achter zich.

Sara deed haar ogen open. De stenen vloer voelde koud aan. Haar bovenlijf draaide naar links en rechts alsof ze nog in het water lag. Leek daarom haar rok zo nat? En waarom keken Espérance en die vrouw naar haar? Ze dacht aan David en vroeg zich af wat hij gezegd had over krabben en krokodillen.

Sara hoorde Espérance met de vrouw fluisteren. Het leek alsof een arm haar hoofd dieper het water in trok.

'Baba zal trots op je zijn.'

Ze draaide zich om. Wie zei dat? Ze dacht aan haar vader. Hij was trots geweest omdat ze had leren zwemmen, ondanks haar angst voor beesten onder water. De herinnering schrijnde, omdat die niet leek te kloppen met de werkelijkheid. Baba had immers zijn trots ingeruild voor schaamte? Ze was een vrouw geworden aan wie geen eer te behalen viel. Of ze nu iets bereikte in het leven of niet.

Sara kwam omhoog van de grond.

'Overleven is net zoiets als onder water zwemmen. Je moet niet op de beesten letten en je gaat echt niet zomaar dood.' Een stem resoneerde in haar oren.

Ze mompelde iets.

Er klonk gegrinnik.

Met een ruk draaide ze zich om en keek naar Espérance. 'Was je bang voor de wayomba? Het zijn net krabben, hè. Ze zeggen dat je niet op ze moet letten.' Sara hoorde zichzelf praten en staarde naar de teil met haar braaksel. Het leek alsof ze militairen erboven zag zweven. De mannen grijnsden. Hun neuzen tekenden groteske schaduwen op de muur. Precies Tutsi's, dacht ze.

Haar schoonzus kneep haar ogen half dicht.

'Je hebt ze toch wel een bloedneus geslagen?'

Sara zag de ene vrouw lachen en de andere broeierig kijken.

Ze keek hen aan, stond op en pakte de teil om hem buiten leeg te gooien.

De volgende dag vertrok de moeder van Espérance. Sara hoorde haar praten over een ticket voor de witte boot en dacht terug aan het geld dat ze onder de cassavebladeren op de bodem van de boot had gevonden. Ze had het op de kade aan de eigenaar teruggegeven, maar de man had haar er niet eens voor bedankt. Ze keek naar de handtas van Espérance' moeder. Zou daarin het geld zitten waar Prince niets van afwist? Of zou de vrouw de biljetten tussen haar pagne en buik verbergen? Zonder haar te groeten, liep ze naar buiten om naar het werk te gaan.

De dagen erna vulden zich met gewone bezigheden. Sara hielp dokter Paluku in het medisch centrum en Espérance verkocht fruit op de markt. In de uren dat Sara het studieboek van de dokter mocht lezen, verdiepte ze zich in ziektebeelden en aandoeningen. Soms nam ze het boek zelfs mee naar een patiënt om de afbeeldingen te vergelijken met echte zweren, huiduitslag of bloeduitstortingen en vroeg ze Paluku om meer uitleg. Op die momenten vergat ze alles om zich heen.

Pas onderweg naar huis dacht Sara aan Espérance en aan de dingen die ze sinds kort van haar wist. Haar schoonzus was nu nog zwijgzamer dan anders. Bijna altijd schetterde er muziek uit de radio als Sara thuiskwam. Soms stond het geluid zo hard dat de buren de liedjes met geroffel probeerden te overstemmen. Wanneer de drums stopten, hoorde Sara flarden van het nieuws. Terwijl de monotone stem van de nieuwslezer door de kamer galmde, keek ze vaak naar Espérance' vingers die stroken in elkaar vlochten om er tassen van te maken.

Op een avond goot haar schoonzus nieuwe petroleum in de lamp. Het licht flakkerde zwak toen er op de deur werd gebonsd. Sara hoorde haar vragen wie er was.

'Maak het hangslot open!'

Espérance keek naar Sara.

'Ik ben het, doe open.' De stem probeerde het geluid van de radio te overschreeuwen.

Met trillende handen dacht Sara aan de marktbaas. 'Ik wil geen mannen in huis,' fluisterde ze.

De stem aan de andere kant van de deur zei weer iets. Sara zag haar schoonzus abrupt opstaan en naar het slot toe lopen.

'Nee, niet doen!' Ze kwam omhoog en pakte Espérance bij haar arm.

Het volgende moment werd de golfplaten deur opengegooid. Het schijnsel van de petroleumlamp wierp schaduwen in het vertrek.

'Zeggen jullie geen *karibu* meer?' Een man liep langs hen heen en gooide een zak in de hoek.

Espérance draaide het geluid van de radio zachter.

Toen er met het licht van een mobiel de kamer in werd geschenen, zag Sara het pas. Het langst keek ze naar de twee verticale strepen aan de zijkanten van de onderkin. Het haar was trendy getrimd.

'Wat zit je te kijken? Zorg maar voor wat eten!'

Sara kookte water en warmde bonen op. Ondertussen hoorde ze Espérance naar de reis informeren. Haar broer zei iets over het verkeer onderweg, maar zweeg toen hij meer vragen kreeg. Ze zette de pan met eten op het tafeltje. Vanaf een afstandje keek ze hoe Prince stukken deeg uit de meelbal trok en ze in zijn mond propte. Sinds hoe lang had hij een baardje? Er waarom liet hij het haar in van die rare strepen groeien? Ze wierp een blik op haar schoonzus en vroeg zich af of ze wel blij was met zijn nieuwe uiterlijk. Of zou ze trots zijn, omdat iedereen kon zien dat hij in Kigali was geweest?

Achter het zeil begon Marie te huilen. Sara zag dat Prince verstoord opkeek. Hij gromde iets waarna Espérance haar kruk naar achteren schoof en opstond.

'Je mag best wat aardiger doen, kaka.'

'Tegen wie heb je het? Dit is mijn huis en ik bepaal wat ik hier zeg!'

Sara keek naar haar broer en zweeg.

Espérance kwam met de baby de kamer binnen. Bij het licht van de lamp hield ze de beentjes in de lucht en verschoonde de poepluier. Daarna goot ze water in een teiltje en waste haar.

Prince wapperde met zijn handen voor zijn gezicht, waarop Sara lachte en vroeg of hij de geur gemist had.

Met een zwaai gooide hij de pan terug op het tafeltje.

'Als je zo doorgaat, stuur ik je naar Ishovu!'

Ze keek hem aan, stond op en greep het kookgerei om het schoon te spoelen. Uit de pan viste ze de laatste bal ugali en legde hem op een omgekeerd pannendeksel. De resterende bonen rangschikte ze in een cirkel rond de meelbal. Sara keek ernaar en dacht aan het gezicht dat ze een tijd terug had gemaakt. De bonen had ze gesorteerd op de kleuren roze, geel, groen en grijs. Droge bonen waren veel mooier dan deze gekookte, vond ze.

'Waarom heb je zo'n T-shirt aan?'

Sara draaide zich om. Waar had Prince het over? Toen zag ze de priemende vinger die naar Espérance wees.

Haar schoonzus trok de baby op schoot en zei dat ze het niet begreep.

'O nee?' De stem klonk dreigend.

Espérance plukte met haar hand aan haar bovenlijf. Ze keek verward. 'Wat bedoel je?'

Sara keek naar het T-shirt met de rafels in de halsopening. Het was hetzelfde shirt dat Espérance had gedragen op de dag dat haar moeder op bezoek was.

'Het is een beetje oud, maar nog prima toch?'

'*You are my best choice?*' De stem bulderde.

Sara zag haar broer op zijn vrouw aflopen en haar door elkaar schudden. Wat gebeurde er?

Espérance dook in elkaar. De baby krijste.

Sara liep naar het kind en nam het in haar armen. Terwijl ze sussende geluidjes maakte, zag ze Prince naar de letters op het T-shirt wijzen. Ze wist niet wat ze betekenden, omdat ze in een andere taal geschreven waren. Was het Engels? Ze dacht aan Sultan die de zanger had nagedaan in het eetcafé. De woorden die hij had gezongen, leken op die van het shirt.

Prince gromde, gaf zijn vrouw een laatste duw en ging

op een krukje zitten. Espérance nam het kind van haar over en ontblootte haar borsten.

'Van wie heb je dat ding gekregen?'

Bij het zien van de blik in zijn ogen hield Sara haar adem in.

'Van een vrouw op de markt. Ze vond het shirt te oud en gaf het aan mij.'

'Weet je zeker dat het een vrouw was?'

'Ja, natuurlijk!'

Prince vloekte. 'En jij was haar beste keus?'

Sara zag Espérance verwilderd kijken.

'Lieg niet, vrouw! Ik weet meer dan je denkt.' Hij pakte de petroleumlamp en zwaaide die voor haar gezicht. 'Vertel, met wie heb jij in bed gelegen toen ik in Kigali zat?'

Sara voelde haar hart bonzen. Ze keek naar het hangslot van de deur. Kon ze weg?

Espérance pakte Marie van haar borst en klopte met vlakke hand op haar ruggetje.

'Nou?'

'Waar heb je het over?'

'En dat moet jij vragen?'

De lamp slingerde heviger heen en weer.

'Ik heb met niemand in bed gelegen.' Espérance' hand bewoog met de woorden mee.

Op het moment dat Marie een boertje liet, schoot Sara onwillekeurig in de lach. Meteen kneep ze zichzelf in haar arm.

'Jij vindt het grappig?' Prince keek woedend naar haar.

Ze wilde zich verontschuldigen, maar zei niets.

Het kind boerde nog een keer, waarna Sara het van Espérance overnam en naar bed droeg. Terwijl ze Marie onder de lakens legde, hoorde ze Prince' stem achter het zeil.

'Nu wil ik het weten! Met wie bedreef je l'amour?'

'Ik ben met niemand naar bed geweest.'

'Lieg niet, vrouw.'

Espérance' stem klonk vermoeid toen ze voor de derde keer de zin herhaalde.

Sara zag haar schoonzus verstoord opkijken, toen ze het zeil opzijschoof en de kamer in kwam. Moest ze bij Marie blijven?

'Je hebt een lange reis achter de rug. Zal ik thee voor je maken met suiker erin? Of heb je liever een Fanta?' Espérance keek hoopvol naar Prince.

'Thee, Fanta? Dacht je mij te kunnen behagen met alleen maar drank?'

Sara draalde bij de slaapkamer. Het schijnsel van de petroleumlamp wierp grillige schaduwen op de muur.

'En je lijf zeker voor andere kerels bewaren?' Prince stond op en greep zijn vrouw bij de hals. 'Was het de marktbaas?'

Sara hoorde haar schoonzus onverstaanbare geluiden maken. De handen van haar broer drukten het vlees naar binnen. Daarna lieten ze heel even los.

'Ontken het maar niet.' De stem fluisterde.

'Sara!' Espérance hapte naar adem.

Ze liep op hen af en dwong haar broer zijn vrouw los te laten. Prince keek haar vluchtig aan en zette opnieuw zijn handen om haar nek.

'Kaka, je wilt haar toch niet wurgen?'

Prince leek haar voor het eerst te zien. 'Waarom ben je hier? Je had achter het zeil bij Marie moeten blijven!'

Ze zei niets. Met kracht spoog hij op de grond. 'Ik accepteer niet dat ze met andere kerels het bed in duikt.'

Sara zag zijn handen van de hals naar beneden glijden. Toen ze haar broer Espérance' bovenlijf zag bevoelen, draaide ze haar gezicht weg.

'Ik heb niet met hem geslapen.'

Ze keek voorzichtig en zag de handen onder het T-shirt glijden.

'Apana,' klonk het klaaglijk.

'Dus hier heeft de chef du marché aangezeten?' Prince trok het shirt omhoog, greep een borst en haalde de tepel naar zich toe.

Sara's ogen verwijdden zich. Wist haar broer wat er was gebeurd? Van wie had hij iets gehoord? Ze keek naar het schouwspel en vroeg zich af wat ze kon doen.

Het volgende moment hoorde ze haar broer iets mompelen.

'Het zijn maar letters, ik weet niet eens wat ze betekenen!' zei Espérance.

Er klonk een scheurend geluid. Ze keek op. Prince trok het T-shirt aan flarden. Daarna hield hij de stukken als een trofee in de lucht en riep: 'You are my best choice!'

Espérance probeerde haar borsten te bedekken, waarop gelach klonk, en liep met de rafelige stukken naar de slaapkamer.

'Wil je nog steeds ontkennen dat je met hem geslapen hebt?'

'Ja, ik zweer het.'

'Ik heb gisteren suiker gekocht.' Sara wipte op haar tenen. 'Zal ik thee zetten?'

'Begin jij ook al over thee?' Prince gromde en keek naar zijn vrouw, toen ze even later in een nachthemd de slaapkamer uit kwam.

'Ik ga ook slapen,' zei Sara.

Haar broer stond op en pakte Espérance' arm. 'Heeft hij aan je gezeten?'

'Ik heb niet met hem geslapen.'

'Heeft hij aan je gezeten?' Prince' stem bulderde.

'Alleen...'

'Ja, wat?'

'Het waren alleen mijn borsten.' Espérance rukte zich los en wilde weglopen.

Vaag hoorde Sara haar broer iets over marktvrouwen zeggen. Ze voelde zich moe en wilde weg.

'Van Devote?'

'Ja, ontken maar niet wat ze heeft verteld!'

'Ik heb niet met hem geslapen.'

Sara vroeg zich af hoe vaak haar schoonzus dezelfde zin nog zou herhalen. Ze schopte in de hoek van de kamer haar slippers uit, liep naar de jerrycan en goot water in een teiltje om zich te wassen.

'Je liegt, vrouw!'

Ze hoorde een bons. Het licht doofde. Was de petroleumlamp omgevallen? In het donker greep ze naar zeep en waste haar voeten. Espérance' stem mengde zich met die van Prince. Sara dompelde een plastic beker onder water. Even later klonk gehuil.

'Je hebt nog alle tijd om te janken.'

Het hangslot knarste.

'O Mungu, ontferm U.' De stem beefde.

Sara keek op toen het licht weer flakkerde en hoorde Prince iets onverstaanbaars zeggen.

Espérance begon harder te huilen.

'Ja, roep de Seigneur er maar bij, die zul je nodig hebben.' Er klonk een spottende lach.

'Ik heb niet met hem...'

De deur werd opengegooid. Sara voelde een windvlaag en keek op.

'Je brengt me niet op andere gedachten.' Haar broer pakte zijn mobiel en schopte een kruk omver.

'O Mungu!'

De lamp weerkaatste Prince' bewegingen op het zeil.

Sara raapte de kruk op en zag de poten ervan vervormd terug op het witte doek.

Toen keek ze naar Prince' silhouet dat van het zeil gleed en verdween. Achter haar hoorde ze een deur dichtklappen. Het geluid viel samen met een stem die langzaam wegstierf.

'Vannacht slaap je hier. Maar binnenkort stuur ik je weg.'

Palmbladgroen

Stuifzand vloog op. Onbewust trok Sara haar hoofddoek omlaag. Maar de wolken stoven langs het raam voorbij. Ze keek naar de volgeladen vrachtwagen voor haar. Door het stof waren de stapels kratten met frisdrank amper te zien. Toen het taxibusje inhaalde, zag ze pas hoe scheef de vracht geladen was. Even was ze bang dat de wagen zou kantelen door de diepe kuil in de weg, maar de oplegger kwam langzaam weer omhoog. Brommers schoten kriskras door het verkeer, auto's claxonneerden, houten loopfietsen werden vooruit geduwd.

Sara keek naar een jochie van een jaar of tien dat met een emmer sjouwde. Door het doorzichtige plastic schemerden stukken kaas. Zonlicht zette het geel in brand. Het kind liep blootsvoets en schreeuwde naar voorbijgangers. Niemand leek het te horen. Alleen een bedelaar die op de grond zat, grijnsde de jongen toe. Het verkeer reed behendig om de grootste kuilen en lavabrokken heen. Sara bewoog mee in het taxibusje. Agnes en andere vrouwen van het koor zongen achter haar. Het gezang stopte abrupt toen het busje met volle kracht remde.

'Je ziet die kuilen toch aankomen? Waarom rijd je niet voorzichtiger?' Sara zag Claude de chauffeur naast hem een por geven.

'En denk aan mijn olifant, hè!' Een zangerige stem klonk van achter.

Vrouwen gniffelden.

'Je hebt gelijk, Pascal.' Claude draaide zich grijnzend om. 'Wat moeten we zonder ons drumstel?'

Sara voelde zijn blik en glimlachte. Iedereen wist dat Pascal al weken kartonnen dozen verzamelde om alle onderdelen van het drumstel vandaag te kunnen vervoeren. Bij elke nieuwe doos had hij grapjes gemaakt over de ontleding van zijn olifant. De bekkens werden als een slurf omzwachteld, de drumstokken als slagtanden. Bij het inpakken van de grootste drum had Pascal op de grond gestampt om de enorme viervoeter na te doen. Later had hij op het keyboard een liedje gespeeld om het beest uit te zwaaien.

Het taxibusje sloeg af en reed voorzichtiger dan eerst. Sara keek achterom en zag het tweede busje achter zich. De koorleden daarin zwaaiden naar haar. Toen de chauffeur remde, rolde ze tegen haar buurvrouw aan.

'Weet je hoe duur geluidsboxen en microfoons zijn?'

'En weet jij hoe duur m'n bus is?'

Ze draaide zich om en hoorde de mannen voorin woorden maken over de vraag of je nu wel of niet moest remmen voor brommers die te dicht langs het busje reden. Agnes achter haar begon weer te zingen. Even voelde ze de neiging om mee te doen, maar ze hield haar mond.

Claude had verteld dat twee mannen met camera's haar die dag zouden filmen. En dat haar solopartijen belangrijk waren voor de cd-opname. Ze wist niet wat het betekende en had gevraagd naar wie ze moest kijken als ze ging zingen.

Hij had haar hand gepakt. 'Denk aan de vogel boven het meer.' Daarna had hij de gitaar over zijn schouder geslagen. 'Of kijk naar mij, Saar.'

Ze had zich ongemakkelijk gevoeld onder zijn blik. Later had ze zich afgevraagd waarom Claude de vogel had genoemd. Bedoelde hij het beest op de tekeningen die hij haar had gegeven?

Er ging gejuich op toen de beide busjes het terrein van een restaurant op draaiden. De jongen die bij het raam zat gooide de schuifdeur open en iedereen baande zich een weg naar buiten. Sara pakte haar tas met koorkleding. Samen met de andere vrouwen liep ze naar de toiletruimte. Achter zich hoorde ze Claude en Pascal instructies geven over het verslepen van het geluidsmateriaal.

Terwijl ze in het gebouw haar rok en blouse verwisselde voor het speciale ensemble van die dag, keek ze naar de witte kalla's in een pot op de grond. Had het restaurant bloemen in het toilet staan? Met haar vinger streelde ze het blad en vergeleek de kleur met haar witte pagne. De bloem oogde fragiel. Zouden er meer in de tuin staan? Voor de spiegel drapeerde ze de nieuwe hoofddoek om haar hoofd. Door de stof liepen ragfijne draden die terugkwamen in de blouse en rok. Vanuit haar ooghoeken zag ze dat de andere vrouwen klaar waren met hun make-up. Niemand had haar aangeboden iets te gebruiken. Ze keek naar haar spiegelbeeld en greep naar de tas. Uit het zijvak haalde ze een potje olie. Toen ze klaar was met haar gezicht, trok ze de witte hoofddoek strak over de oren. Haar donkere, natte huid glansde. Ze draaide zich om, keek een laatste keer vluchtig in de spiegel en liep het toiletgebouw uit.

Haar sandaalhakjes snelden over het pad. De tuin liep schuin af naar het water. Aan de rand van het meer was een stenen vlonder waarop Pascals olifant in volle glorie troonde. Snoeren van microfoons en geluidsboxen slingerden tussen de benen van de reus door. De drummer grijnsde naar haar. Twee mannen achter hem bogen zich over hun filmcamera's. Claude stak zijn hand op toen een aantal vrouwen begon te zingen. Het werd stil. Even later zegde iedereen door elkaar heen een gebed op, terwijl een jongen op het keyboard speelde.

Sara keek uit over het water. Ze hief haar gezicht op naar de zon. Het blauw van de lucht vermengde zich met de kleuren van het meer. Vandaag zou ze zingen. Haar hart moest open. Baba had het toch gezegd?

Het geroezemoes om haar heen werd sterker. Sommige koorleden knielden op de grond. Ze keek ernaar zonder iets te zien. Windvlagen speelden met de uiteinden van haar hoofddoek. Op het moment dat ze Claude hoorde zingen, stak ze haar handen in de lucht.

Ze wist dat ze het kon. Ze zou haar hart openen. Het onderdompelen in het meer, zoals ze jerrycans onder water liet vollopen. Terwijl golven zich om haar lichaam sloten, hoorde ze Prince' stem bulderen. Een vrouw huilde. Het geluid van een dichtgevallen deur echode door de tuin. Met een ruk rechtte ze haar rug. Waarom bleven haar broer en schoonzus haar achtervolgen?

Er klonk gelach. Ze keek opzij en zag koorleden fluisteren. Pascal zei iets, maar ze kon het niet verstaan. Even later zongen ze het eerste lied. Sara bewoog automatisch mee op de muziek, maar was met haar gedachten in Birere. Wanneer zou Espérance definitief worden weggestuurd? Ze kende haar broer goed genoeg om te weten dat hij woord zou houden. Wat zou hij met Marie en Nicolas doen? En kon zij zelf wel bij Prince blijven wonen? Met haar handen op haar heupen keek ze naar het glinsterende meer. Ze zong over de macht van Yesu, terwijl ze het zonlicht vergeleek met het schijnsel van petroleumlampen. Even leek het alsof ze dezelfde grillige schaduwen zag als op die avond in Prince' huisje. De omgevallen lamp had alle figuren op de muur uitvergroot. Golven vervormden de beelden echter en namen ze mee.

Een cameraman liep langzaam voorbij. Het geroffel op de drums versnelde. Toen het lied bijna afgelopen was, liep Claude met zijn gitaar naar het uiterste puntje van de vlonder. Terwijl de laatste akkoorden wegstierven, grepen zijn vingers de snaren. Sara luisterde naar de wind die het getokkel verder droeg. Op de achtergrond mengde het keyboard zich met de klanken. Ze keek naar het donkere hoofd dat zich over de gitaar had gebogen. In de verte voeren pirogues. Zouden de vissers op het meer het lied kunnen horen?

Claudes overhemd bolde. Windvlagen probeerden de gitaarband te grijpen. Het zwarte leer overwon. Sara staarde ernaar. Hoe lang was het geleden dat haar handen de gitaarband vastgehouden hadden? Ze dacht terug aan het moment dat Claude haar naar zich toe had getrokken. Ze had haar hoofd weggedraaid van voorbijgangers in het straatje en was de zingende imam vergeten. De omarming was het enige geweest wat telde.

Ze bleef naar de gitarist op de vlonder kijken. Haar vingers tintelden. Haar onderlijf gloeide. Terwijl er applaus klonk, zag ze Claudes ogen over de mensen dwalen. Ze deed een stap naar achteren om niet opgemerkt te worden. Toen ze haar rok iets verschoof, voelde ze zijn blik. Ze keek op. Zijn ogen glansden. Even leek het alsof hij iets tegen de wind fluisterde, maar het moment was te kort om er iets van te verstaan.

Later hoorde ze Pascal zeggen dat iedereen naar het gras moest gaan. Het tweede lied zou daar opgenomen worden. Er werd met geluidsmateriaal gesleept. Cameramannen overlegden.

'Denk aan de vogel, Saar. Wees niet bang, probeer je te concentreren.'

Sara draaide zich om en keek in het gezicht van Claude.

In een flits zag ze zijn vragende ogen weer voor zich. 'Heeft hij vroeger dingen met je gedaan die je niet wilde?' De geur van bananenbier drong in haar neus. Ze trilde.

'Gaat het wel goed met je?'

Ze dacht aan het eetcafé en haalde haar schouders op. 'Het gaat wel.'

Een hand streelde haar rug. 'Kijk eens om je heen. Je mooiste solopartij wordt straks opgenomen!'

Ze glimlachte.

Het volgende moment werd er iets in haar oor gefluisterd. Ze beefde en pakte zijn hand. Kon ze hem echt vertrouwen?

'Bij de palmboom. Ja, die plek is goed!' Claude liep weg. Iemand duwde een microfoon in haar handen.

Het koor stond tegenover haar. Ze voelde zich alleen en streelde de bast van de boom. Toen de eerste akkoorden klonken, zag ze Pascal knipogen. Camera's zoemden. Ze ademde diep en voelde lucht naar binnen stromen. Een visarend vloog laag over de tuin. Ze keek omhoog. Donkere vleugels staken scherp af tegen de hemel.

De microfoon voelde klam aan. Achter zich hoorde ze de snaren van een gitaar. Ze bewoog heupwiegend mee en zette vol in.

Dans le secret de nos tendresses – Tu es là.
Dans les matins de nos tristesses – Tu es là.

Boven haar hing de vogel even stil, cirkelde rond en vloog daarna richting het meer. Ze keek naar Pascal, die het ritme versnelde. De gitaar mengde zich met de drums. Sara schopte haar sandaalhakjes uit en danste door het gras.

Au plein milieu de nos tempêtes – Tu es là.
Dans la musique de nos fêtes – Tu es là.

Met opgeheven handen zong ze, alsof ze de wind kon bevelen haar stem verder het meer over te dragen. Het koor beantwoordde de solopartij. Met haar gezicht naar de zon luisterde ze naar de verschillende vrouwen- en mannenstemmen. De palmbladeren boven haar leken ritmisch mee te bewegen. Op de achtergrond klonk het geluid van golven. Sara droomde weg naar de zandweg op het eiland. Ze hoorde bamboestengels kraken, zag vogels uit het riet omhoog vliegen en zong mee met het geruis van water. Ze hoorde Pascal op de bekkens slaan. Met haar ogen dicht haalde ze diep adem en liet haar stem aanzwellen.

Tu es là au cœur de nos vies
et c'est Toi qui nous fais vivre.

Er klonk ritmisch geklap. Ze keek op en zag een aantal mannen van het koor een reidans maken. Sara lachte haar tanden bloot. De drummer grijnsde terug. Op haar blote voeten rende ze naar de mannen toe en sloot de rij. Toen ze over het snoer van de microfoon struikelde, keek ze opzij. Waarom volgde de cameraman alles? Een stem achter haar riep dat ze moest zingen. Ze concentreerde zich op haar ademhaling en zette opnieuw in. De mannen dansten verder. Sara zong.

Op het moment dat ze het refrein herhaalde, zag ze een tuinman bloemen plukken. Achter een struik stond een vrouw met hem te praten. Hij knipte zorgvuldig en borg de witte kelken in een mand.

Er schuurde iets tegen haar arm. Ze keek en zag een mouw van een overhemd. Mannen vormden een kring om haar heen. Een cameraman drong naar het midden. Met haar handen op haar heupen zong ze verder. Voordat Sara besefte wat er gebeurde, was Claude bij haar. Terwijl ze aan Jezus en tuinmannen dacht, kreeg ze een bloem in haar handen gedrukt. Ze staarde naar de ragfijne kelk. Toen ze omhoog keek, seinde Claude dat ze de bloem in de lucht moest houden. Ze keek naar het wit en vervolgens naar de man tegenover haar. Met trillende stem zong ze verder. De kring om haar heen zette zich in beweging, lichamen bewogen voor haar ogen heen en weer.

Zelf stond ze stil. Haar ene hand omknelde de microfoon, de andere de kelk. Een stem fluisterde in haar oor. Ze knielde in het gras, stak de bloem omhoog en zong de laatste woorden van het lied.

Terwijl Pascal een naspel drumde, kwam ze overeind. Ze liep naar de palmboom en legde de bloem bij de stam. Het gras voelde vochtig aan. Vanuit haar ooghoeken zag ze koorleden hun spullen pakken en naar het restaurant lopen.

'Goed gezongen, dada.'

Ze voelde haar knieën trillen. Iemand pakte haar bij haar arm. Het volgende moment werd ze meegetrokken naar de vlonder. Achter zich wist ze de tuin met het restaurant. Ze keek naar een vissersboot in de verte. Zonder dat hij wat zei, wist ze dat Claude naar haar keek. Ze boog voorover en trok haar rok recht.

'Saar!'

Ze rechtte haar rug en staarde over het water.

Claude streelde haar vingers. Ze keek naar de beweging, terwijl haar onderlijf begon te gloeien.

De golven veranderden in beelden. Ze zag Prince de borsten van zijn vrouw betasten. Alles werd donker toen ze in gedachten Espérance hoorde roepen. Ze deed haar ogen open. Was Claude echt anders dan andere mannen?

'Trouw met me, liefste.'

Plotseling voelde ze armen om zich heen. Ze keek omhoog. Het gezicht boven haar boog zich naar haar toe. Op het moment dat ze zijn ogen zag, begon ze te huilen.

'Niet bang zijn, Saar.'

Wild wierp ze zich in zijn armen. In de verte klonk geroezemoes. Een stem fluisterde in haar oor.

Ze kroop dichter naar hem toe en liet zich strelen. Toen hij de zin herhaalde, begon ze te beven.

'Het kan niet.'

Claude liet haar los.

Ze keek naar zijn bovenarmen. 'Ik ken geen man die...' Sara zweeg. Waarom verzon ze niet iets luchtigs om hem af te leiden?

'Nou?'

Claude streelde haar.

'... die beter petroleumlampen kan aansteken.' Ze zag hem verward kijken en liep weg.

Even was het stil. Daarna lachte hij. 'Bij mij hoef je nooit in het donker te zitten, dada.'

Ze wilde hem omhelzen, maar draaide zich om. 'Ik heb geen olie, vrees ik.'

Op het moment dat het koor zich klaarmaakte voor de terugreis, liep Sara naar het gras. Ze keek naar de palmboom en zag de kalla nog op dezelfde plek liggen als waar ze hem neergelegd had. Met de bloem in haar handen staarde ze over de golven. Daarna draaide ze zich om en snelde naar de twee taxibusjes. Onderweg naar huis hoorde ze Claude met Pascal praten. Naast haar zongen twee vrouwen. Ze wiegde met hen mee en botste bij elke kuil in de weg tegen het raam. Zodra ze bij de kerk aankwamen en iedereen druk was met het verslepen van de geluidsapparatuur, glipte Sara weg.

In Birere rook het naar vis en tomaten. Achter de moskee waren vrouwen met kookpotten in de weer. Sara liep erlangs en dacht aan het dure servies dat ze op de tafels in het restaurant had zien staan. Ze streek over haar buik en stapte het straatje in waaraan Prince' huis lag. In de verte hoorde ze Nicolas schreeuwen. Het geluid mengde zich met het gerammel van kookpotten. Ze trok haar rok omhoog en liep verder. Toen Sara langs de huisjes van de buren liep, zag ze het kind stampvoeten.

'Ik mag nooit iets van jou!'

'Als ik de vaat gewassen heb, mag je met het water spelen.' Espérance hield hem bij zijn schouders vast, waarop hij zich losrukte en met zijn vuisten timmerde.

'Je mag hier toch niet meer wonen!'

'Wie zegt dat?'

'Papa.'

Sara hield haar adem in toen ze Nicolas weer hoorde schreeuwen. Het geluid veranderde in gejammer nadat zijn moeder hem een draai om zijn oren had gegeven.

Met een 'jambo' ter begroeting liep Sara op het tweetal af en keek naar de behuilde ogen van haar schoonzus. De doek op Espérance' rug bewoog.

Nicolas trok aan haar arm. 'Mag ik die?'

Ze keek hem vragend aan. Toen hij naar de bloem in haar hand wees, schudde ze haar hoofd. Espérance haalde de baby uit de doek tevoorschijn en streek met een vermoeid gebaar over haar onderrug. 'Is hij nog niet thuis geweest?' Sara verbrak de stilte.

'Apana.'

Sara zweeg.

'Baba gaat je bijna wegsturen.' Het kind keek triomfantelijk naar Espérance, waarop Sara wilde uithalen met haar hand, maar Nicolas ontweek haar en rende weg.

Sara zag hoe tranen Espérance' ogen vulden. Toen haar schoonzus haar aankeek, draaide ze haar hoofd weg. Even later hoorde ze Nicolas schreeuwen. In een opwelling liep ze naar Espérance en gaf haar de kalla. 'Hij is niet voor Nicolas. Hij is voor jou.'

Espérance keek haar voorzichtig aan. Met de bloem in haar handen liep ze naar binnen. Pas toen ze hem in een fles met water gezet had, brak een glimlach door.

Sara liep haar achterna en keek naar het stilleven. Het wit oogde breekbaar in de kamer.

'Het wordt de vijfde nacht,' zei Espérance terwijl ze de kelk streelde.

Sara zweeg.

'Zou hij echt niet meer thuiskomen?'

Ze dacht aan Prince en aan datgene wat zijn vrouw voor hem verborgen hield. 'Hij draait vast wel weer bij,' fluisterde ze.

'Apana.'

In een flits zag ze de handen van haar broer weer om Espérance' nek. Ze slikte.

'Ik ga koken.' Espérance liep weg met een pan en een zak meel.

Sara pakte de zak uit haar handen.

'Misschien ben je wel precies zoals hij. Familie, hè?' De stem klonk spottend.

Witte bloemen zweefden voor haar ogen. Ze zag ze overal. In de plastic fles, boven de pan met meel en in de deuropening. 'Ik ben anders dan Prince,' zei ze.

Espérance haalde haar schouders op.

'Je kon er niets aan doen. Het waren immers Tutsi's!'

Sara beet op haar lip toen ze besefte wat ze gezegd had.

Haar schoonzus keek haar woedend aan.

'Het spijt me.'

Onder het eten dreinde Nicolas over de smaak van de bonen, waarop zijn moeder hem een pets gaf. Toen het kind begon te huilen, liep Sara naar de jerrycan met water om de pan schoon te spoelen. Ze voelde de ogen van haar schoonzus in haar rug.

'Trek dat witte geval uit, ik kan het niet meer aanzien!' Espérance' stem echode door de kamer.

Sara draaide zich om en keek naar haar. De mond die kort daarvoor geglimlacht had bij het zien van de bloem, was nu een streep geworden. Espérance greep Sara's rok en bevoelde de satijnen draden in de stof.

'Doe dat ding uit!'

Sara probeerde de hand weg te trekken en even was ze bang dat de rok zou scheuren. Toen Espérance losliet, nam Sara Nicolas mee naar buiten. Terwijl ze het kind een oude pan gaf om mee te spelen, hoorde ze gejammer vanuit het huisje. Sara zuchtte.

'Ik haat wit. Ik haat wit!'

Ze luisterde en liep op de geluiden af. Bij het binnenkomen van de kamer zag ze haar schoonzus op de vloer zitten. Met haar armen voor de borsten wiegde ze heen en weer.

Sara kuchte.

Espérance keek haar uitdrukkingsloos aan. Daarna vouwden haar vingers zich om haar borsten en maakte ze zoemende geluiden.

'Het is precies dezelfde.'

Sara hurkte naast haar op de grond. 'Wat is dezelfde?'

'Jouw rok en blouse.' Haar vingers klauwden. 'De pagne op palmzondag had dezelfde draden.'

Ze vroeg waarover Espérance het had, maar kreeg geen antwoord.

'Dat vervloekte wit!' Ze spoog op de grond.

'Zal ik thee zetten?' Sara negeerde de natte klodder.

'Geef mij maar rood in plaats van wit!' Espérance greep naar Sara's witte hoofddoek, maar Sara ontweek de hand.

Er klonk een holle schaterlach. 'De pasteur had het tijdens mijn doop over een rein leven. Wist hij veel dat drie dagen later wayomba het zouden kapotmaken?'

Sara staarde naar haar rok.

'Dat vervloekte wit!' Monotoon dreunden de woorden door de kamer. Het volgende moment boog Espérance voorover, begroef haar hoofd in haar schoot en begon te huilen.

Sara keek naar de vrouw tegenover haar en legde met een voorzichtig gebaar haar hand op de voorovergebogen rug.

'Een rein leven.' Haar schoonzus lachte en huilde tegelijk.

Sara haalde haar hand naar zich toe, trok haar hoofddoek los en gooide de witte lap in de hoek van de kamer. Daarna kwam ze overeind en liep naar het zeil om andere kleren te halen. In de slaapkamer trok ze haar oude hoofddoek strak over haar oren. Met een zwaai schoof ze het zeil opzij en keek naar Espérance. Blikken kruisten elkaar.

'Dank je wel, dada.'

Sara voelde Espérance' ogen goedkeurend over haar kleren gaan. Met een snel gebaar trok ze de knoop in haar rode hoofddoek strakker. Op het moment dat ze haar weerbarstige haren verstopte, drong het tot haar door wat Espérance had gezegd.

'Je noemt me dada?'

Espérance zweeg.

Luidruchtig goot Sara water in een teil om de witte koortuniek te laten weken. Nicolas kwam binnen en spetterde met zijn handen in het sop. Toen hij buurkinderen hoorde, holde hij weer naar buiten. Sara keek naar haar schoonzus die met de armen voor haar borsten het kind nastaarde.

'Ik vind rood ook mooier dan wit.'

'Ja?' Espérance keek haar afwezig aan.

Met vlugge halen waste Sara de rok en blouse. 'Ik draag liever deze hoofddoek.'

'Waarom?'

Sara keek naar het wasgoed en schudde haar hoofd. 'Zomaar.'

'Je bent hier helemaal niet om te studeren, hè?'

Sara spetterde met haar hand in het water en hoorde Espérance iets zeggen over mannen. Ze keek haar schoonzus aan, boog zich boven de teil en dompelde haar hoofd in het zeepsop. Vervolgens stond ze op, spoelde de koorkleding uit en liep met het natte goed naar buiten.

'Dada?'

Onder haar druipende hoofddoek dacht Sara na over wat haar schoonzus had gezegd.

Naast het huisje kakelde een kip. Buurkinderen vochten om een mes.

Terwijl ze de was uitwrong en over het golfplaten dak hing, drongen de beelden zich aan haar op. Sultans handen grepen haar blouse. Ze deed een stap achteruit, maar voelde zijn vingers over haar lijf gaan. Achter hem verschenen drie militairen. Uitdagend speelden ze met de riemen van hun broek.

Espérance herhaalde haar woorden.

Met een ruk trok ze de natte doek van haar hoofd, gooide hem op het dak en keek omhoog. Het rood stak fel af tegen het wit.

'Je hebt gelijk,' zei ze, terwijl ze naar binnen liep.

Ze voelde Espérance' blik.

'Wie was het?'

Sara keek de vrouw aan en greep naar haar hoofd. Er was echter niets wat bedekt was. Viel er nog iets verborgen te houden?

Espérance deed een stap naar haar toe.

'Een jongen van het eiland,' zei ze enkel.

Op het moment dat ze haar schoonzus door haar hurken zag gaan en haar bovenlijf zag wiegen, balde ze haar vuisten.

'Wat die wayomba met jou gedaan hebben, haalt het niet bij wat Sul...' Ze stokte.

Het gewieg stopte abrupt. Espérance begon te praten.

Sara staarde in de verte. Toen haar schoonzus over de pagne vertelde die de militairen gebruikt hadden, huiverde ze. In een flits zag ze Sultan voor zich die zichzelf aan het matras had afgeveegd.

Espérance legde een arm om Sara's schouder en begon een kinderliedje te zingen. Even liet Sara zich wiegen, daarna schudde ze zich los.

'Sara.'

Met gefronste wenkbrauwen keek ze naar Espérance.

'Je komt er wel weer overheen, heus.' De stem fluisterde. 'Tenminste, als je een man vindt die goed voor je is.'

Sara dacht aan de marktbaas en aan Prince. Espérance zei iets over een huwelijk.

'Het is onmogelijk.'

'Niet als je je geheimen prijsgeeft.' Ze zei nog meer, maar Sara kon alleen maar aan Claude denken. Terwijl de woorden langs haar heen gleden, voelde ze zijn lippen tegen haar oor. 'Trouw met me, liefste!'

Ze voelde weer een arm om haar schouder.

Sara schudde zich los. 'Mijn broer zal je wegsturen!'

Espérance' zwijgen ging over in zoemen en ze hurkte neer, waarop Sara naast haar neer streek.

'Het is onmogelijk,' fluisterde ze weer.

Het zoemende geluid veranderde in de melodie van een kinderliedje. Sara wiegde mee.

'Vertel het de jongen.' De stem kwam uit het niets.

Met grote ogen keek ze haar schoonzus aan.

'De jongen van de bloem.' Espérance gebaarde naar de plastic fles achter haar.

Ze wilde opspringen en de deur uit lopen, maar bleef zitten.

Espérance trok de kalla omhoog en gooide hem naar Sara.

'Vertel het.'

Sara keek naar de bloem en stond op.

Het wit rolde van haar schoot.

Bloedrood

De volgende dag zong Sara in de kerk. Hoewel ze dezelfde liederen liet horen als in de tuin aan het meer, klonk haar stem minder uitbundig. Met de handen op haar heupen bewoog ze mee, starend over de mensenhoofden. Pas op het moment dat Pascal het ritme versnelde, realiseerde ze zich dat ze op het podium stond.

Kort nadat de drums van zich hadden laten horen, liep een vrouw op hakschoenen naar haar toe. Ze droeg een felgekleurde offermand. Twee mannen met manden kwamen erachteraan. Vlak voor het koor draaiden ze zich om en stelden zich in een rijtje op.

Terwijl Sara het refrein herhaalde, stroomden de kerkgangers uit hun banken en kwamen naar voren. Ze kon precies zien wie er getrouwd en wie ongetrouwd was. Opgeschoten knullen en meisjes met vlechten stopten hun geld in de middelste mand. Vrouwen met volle boezems lieten kinderen op hun arm vooroverbuigen om een briefje in de rechtermand te gooien. Hoewel de vrouwelijke diaken achter de offermand op haar hakken wiebelde, leek ze recht voor zich uit te kijken. Sara lachte toen een kind een beduimeld biljet in de lucht stak. Zou de vrouw nog steeds net doen alsof ze niets zag? Langzaam loste de rij op. Een aantal mannen wierp een offer in de linkermand, waarna de diakenen het deksel erop deden en vertrokken.

Pascal drumde de laatste maten. Sara liep met het koor mee en schoof in de bank. Op het moment dat pasteur Joshua aanstalten maakte om het thema voor de volgende dienst aan te kondigen, klonk er geroezemoes. Achter haar giechelden vrouwen. Soms fluisterden ze, maar Sara kon niet verstaan wat ze zeiden.

'Waarom heb je je koortuniek van gisteren niet aan?'

Ze verstarde bij het horen van de stem.

'Zou je die eeuwige hoofddoek niet eens wassen?'

Met een ruk draaide ze zich om. 'Ik bepaal zelf wat ik draag.'

Door de geluidsboxen klonk Joshua's stem.

'Vind je wit niet mooi?' De vrouw lachte.

Even keek Sara haar aan, daarna draaide ze haar hoofd om. Achter haar fluisterden vrouwen over hun witte rok en blouse. In de verte klonk de stem van de dominee.

Met een vluchtig gebaar bevoelde ze haar hoofd. Waarom was ze die morgen vergeten de koortuniek en hoofddoek van het dak te halen? Ze moesten allang droog zijn. Terwijl haar vingers omlaag gleden, keek ze naar de kleren die ze droeg. Met de kleurige pagne viel ze inderdaad op. Als de vrouwen niets gezegd hadden, was ze gewoon naar huis gelopen zonder te beseffen wat ze die dag had aangetrokken. Achter haar hoorde ze Agnes' stem. Een jongen mompelde dat ze haar mond moest houden.

Pasteur Joshua gaf een lied op. Toen het koor opstond, zag ze voor het eerst de witte zee. De tunieken dwarrelden voor haar ogen. Terwijl ze naar de drummende bewegingen van Pascal keek, rechtte ze haar rug.

'Dat vervloekte wit.' Het leek alsof ze de stem van Espérance hoorde. Het volume van de drums nam af, waarna de gitaar het overnam.

Sara keek naar het voorovergebogen hoofd en de vingers die zich lenig over de snaren bewogen. Terwijl ze keek, dacht ze terug aan het moment op de vlonder. Hoeveel uur was het geleden dat ze door dezelfde vingers was gestreeld?

'Vertel het de jongen.'

Sara keek op, maar er was geen Espérance.

De laatste regels werden ingezet. Sara zong automatisch mee. Bij het slotakkoord kwam Claudes gezicht omhoog. Zijn ogen keken haar aan.

Sara deed een stap opzij.

'Vertel het.' De stem bleef resoneren.

Na afloop van het lied applaudisseerde ze overdreven met het publiek mee.

Later trok ze hem aan de mouw. De vastberadenheid waarmee ze haar besluit had genomen, verdween toen ze Agnes naar hen zag kijken en hoorde giechelen. Claude zei iets, waarna de vrouw wegliep. Sara keek haar na terwijl ze naar het gezang van koorleden luisterde. Kerkgangers roezemoesden met elkaar, kinderen speelden verstoppertje achter geluidsboxen.

'Ik was de koortuniek vergeten.'

Zijn lippen bewogen, maar ze kon niet verstaan wat hij zei. Met een handgebaar wees ze naar buiten. Pascal sloeg verwoed op de drums toen ze langs hem liep. Achter een geparkeerd busje vlak bij de poort herhaalde ze haar zin. Terwijl om hen heen autoportieren dichtklapten, hoorde ze Claude zeggen dat het niet gaf.

Haar teen maakte sporen in het gruis.

Claude zei iets. Sara gloeide.

'Ik wil iets tegen je zeggen.' Ze keek hem aan. 'Maar niet hier.'

Voor ze er erg in had, werd ze meegetrokken. Kinderen renden langs optrekkende auto's. Brommers claxonneerden. Sara's voeten bewogen automatisch, alsof ze wedijverden met Claudes puntschoenen.

Claude maakte grapjes over de haast waarmee ze liep.

Ze zweeg.

Bij de doorgaande weg sloegen ze linksaf. Zonder iets te zeggen liepen ze richting het meer. Meisjes met gekromde ruggen droegen jerrycans. Hun slippers sloften.

Ze hoorde Claude over het gebrek aan water praten. Later had hij het over pompen die de organisatie waarvoor hij werkte, repareerde.

Sara luisterde maar half. Terwijl haar voeten zich voortbewogen, dacht ze aan Espérance die met wilde ogen had rondgetold in haar bruidsjurk. De stof had heen en weer gefladderd toen er op pannen werd geslagen. Als meisje had Sara er niets van begrepen. Nu ze van het kind van Espérance wist, des te meer. 'Als vrouw moet je de geheimen van je huis bewaren.' Demonstratief had een vrouw uit de gemeente de pan met het deksel aan haar schoonzus overhandigd.

'Saar.'

Ze keek opzij. Heel even leek het alsof ze gekletter van kookgerei hoorde. Ze kromp ineen toen ze een arm op haar rug voelde.

'Voor mij hoef je niet bang te zijn, dada.'

Plotseling begon ze te rennen. Met opgetrokken rok holde ze langs de stoet kinderen die haar tegemoetkwam. Achter zich hoorde ze Claude hijgen. Jerrycans flitsten langs haar ogen. Bezwete gezichten keken haar verbaasd aan.

Ze sprong over lavakeien, ontweek brommers en kneep haar ogen half dicht tegen de zon. Toen ze een steek in haar zij kreeg, draaide ze zich om.

'Wie het eerst bij de palmbomen is.'

Voordat hij antwoord kon geven, rende ze weg, haar ogen gericht op het wuivende groen langs het meer.

Claude riep iets, maar ze zette haar tanden in haar onderlip en holde verder.

Even later haalde hij haar lachend in. Sara keek naar het stof dat opwaaide door zijn schoenen. Terwijl ze zich bukte om haar rok nog verder omhoog te trekken, rende ze de laatste meters. Ze hoorde een triomfkreet toen ze de dichtstbijzijnde boom bereikte. Hijgend riep ze dat hij zijn mond moest houden.

'Jij wilt ook altijd het laatste woord, hè?'

Bij het zien van de blik in zijn ogen sloeg ze haar armen om de stam heen. Haar vingers gleden omlaag.

Op een steenworp afstand van hen waste een motard zijn brommer op de oever. De rode lak blonk in de zon. Achter hem waren kinderen aan het spelen.

'Je wilde iets vertellen.' Claude was naast haar komen zitten.

Sara draaide haar hoofd weg. Ze zag Espérance in haar bruidsjurk een buiging maken en de pannen aannemen. Het geklots van golven mengde zich met geluiden van dansende voeten en het gerinkel van deksels.

Een hand streelde haar rug.

Ze kromp in elkaar.

'Waarom vertrouw je me niet?' fluisterde Claude.

Tussen de spelende kinderen in het water zag ze beelden van haar broer en schoonzus. Prince' handen drukten zich tegen de hals van zijn vrouw. Toen Espérance in de golven verdween en Prince haar achterna zwom, wist ze het.

Met opengesperde ogen keek ze naar Claude. Zonder dat ze iets zei, nam hij haar in zijn armen.

Ze vertelde over haar zondagse pagne, de modderige

sandaalhakjes, het natuurgeweld en hoe ze hadden moeten schuilen in een afgelegen hut.

Claude had zijn ogen dichtgedaan.

'Het leek alsof de bliksem de letters van mijn rok in brand...' Ze maakte zich los uit zijn omarming, balde haar vuisten en kwam overeind. Met vlakke hand sloeg ze tegen de boomstam.

'Ga verder, Saar.'

De buiging in zijn stem deed haar harder slaan. Ze sloeg en haalde haar handen open. Op het moment dat ze bloed op haar knokkels zag, schopte ze.

Claude was opgestaan en pakte haar bij haar middel. Zijn lippen streelden haar oor. Ze draaide zich om en klampte zich aan hem vast.

'Het was de jongen in het eetcafé, hè?'

Vrouwen met jerrycans daalden af in het meer. Sara wilde omhoog komen en hen achterna gaan, maar ze bleef zitten.

Toen ze de blik in zijn ogen zag, duwde ze haar vuisten tegen zijn schouders.

'Zeg maar meteen dat je niets meer met me te maken wilt hebben!' Haar stem echode over het water.

Hij pakte haar vuisten en vouwde ze open. 'Ik hou van je.'

Met gierende uithalen begon ze te huilen.

In de verte klonk het geluid van een kapotte uitlaat. Sara luisterde ernaar. De jongen die de brommer had gewassen, was weggereden. Kinderen speelden met plastic flessen en teiltjes. Soms greep een moeder een huilend kind en trok het naar de kant. Sara keek naar Claude. Al die tijd had hij naast haar gezeten, maar nu liep hij heen en weer langs de oever. Ze vroeg zich af wat hij dacht.

Zijn overhemd bolde in de wind. Sara staarde ernaar en

dacht terug aan het moment op de vlonder. Waarom had ze toen geen 'ja' gezegd? Als ze dat gedaan had, had hij van niets geweten en was alles anders gelopen.

'Vertel het de jongen,' echode Espérance' stem in haar oren.

Sara schudde haar schouders. Ze had haar onthulling nooit moeten doen.

Er klonk gespetter. Ze zag Claude op zijn hurken zitten en in het water spelen. Op haar blote voeten rende ze naar hem toe. Ze boog voorover en graaide in het blauw.

'Saar, ik hou zielsveel van je, maar...'

Ze spetterde hem nat. 'Maar wat?'

Er droop water uit zijn haar. De ogen die bijna altijd glansden, stonden nu dof.

'Het kan niet.'

Claude zei nog meer, maar ze had alleen maar oog voor de druppels die omlaag gleden. Haar lippen proefden zout. Toen ze haar eigen wangen nat voelde worden, wrong ze haar handen ineen.

'En de vogel van je tekeningen dan?' Ze fluisterde.

Claude hief zijn handen in de lucht. Later hoorde ze hem met de Seigneur debatteren. Hoe langer hij praatte, hoe meer handgebaren hij gebruikte.

Sara liep van hem weg. Terwijl ze over het meer keek, zocht ze naar de felgekleurde vogel. Hij was er niet.

Wat restte, waren woorden.

Ik mis je. Mag ik met je mee? De jongen op het papier had zijn handen naar haar en de vogel uitgestrekt.

De zinnen bewogen zich voort op de wind. Op de achtergrond klonk de stem van Claude en een onzichtbaar iemand. Sara luisterde. Felle, korte uithalen wisselden zich af met lage, smekende geluiden.

Toen het stil werd, keek ze opzij. Claude lag voorover op de grond. De handen die de woorden onderstreept hadden, lagen weerloos in het gras. Met snelle passen liep ze naar hem toe. Nog voordat ze hurkte, zag Sara het rood.

Van het gevlekte overhemd keek ze naar het bloed op haar handen. Had ze echt zijn kleren bevuild toen ze zojuist haar vuisten had gebruikt?

Claudes schouders schokten.

De geur van bloed drong in haar neus. Het rood op de schouders mengde zich met de kleur van haar pagne.

Jésus est la lumière. De letters gleden van de lap, flakkerden even in het neonlicht, en doofden erna in een plas water. Ze hoorde een mannenstem toen ze op het matras werd geduwd. Op het moment dat ze haar ogen opendeed, zag ze de vlekken op het overhemd nog steeds bewegen.

'Claude.'

Een gezicht draaide zich naar haar toe.

'Ik had het niet moeten vertellen.'

'Ik hou van je, Saar.' Hij greep haar bij haar arm. 'Maar...'

'Ja, wat maar?' Haar stem klonk fel.

'Het kan niet.'

Ze schudde zich los.

'De broers van mijn vader zouden een huwelijk nooit goedvinden.'

'Met mij?'

Claude streelde haar wang.

'Je vader is toch dood?'

'Daarom juist.'

Met haar vuist wreef ze langs de hoofddoek. 'Maar jouw familie hoeft mijn verleden toch niet te kennen?'

'Ik wil geen huwelijk met geheimen.'

'Waarom niet?'

Hij keek haar onderzoekend aan. 'Hoe zou je het vinden als op een dag je verleden toch aan het licht zou komen?' Hij stopte. 'En anderen je voortaan links lieten liggen?'

Sara zweeg.

'Mijn ooms en hun vrouwen zullen je niet accepteren. Ze zullen je kwetsen. Wil je dat?'

Hij streelde haar gezicht met zijn duim. Ze deed haar ogen dicht.

'Ik wil het in elk geval niet.' Zijn stem klonk laag. 'Ik wil niet dat ze jou pijn doen.'

Toen ze haar ogen opendeed en naar zijn gezicht keek, wist ze het. Met opgeheven hoofd schudde ze de vingers van zich af.

'Saar.'

'Het ga je goed.' Op de tast schoot ze haar slippers aan en stond op.

Het overhemd kwam omhoog.

Heupwiegend liep ze van hem vandaan.

'Dada mpenzi.'

'Ik ben je liefste niet.'

'Dada mpenzi.'

Sara draaide zich om en keek. Het volgende moment vloog ze naar hem toe. Claudes armen omknelden haar. Ze liet zich meevoeren op het ritme van zijn strelende hand. Op de achtergrond hoorde ze de wind het water in beweging zetten.

De vlekken op het overhemd liepen uit. Sara keek ernaar en probeerde ze met haar tranen schoon te wrijven. Toen ze zag dat het niet hielp en ze het rood juist groter maakte, kroop ze dieper in zijn armen.

'Het kan inderdaad niet,' fluisterde ze.

VN-blauw

Sara keek naar de mannenhand die het papiertje vasthield. Alle nagels waren kortgeknipt, behalve die van
de duim. Even dwaalde haar hand omlaag en beroerde
de nagel. Toen ze haar gezicht ophief en plagend wilde vragen of hij nog steeds gebruikt werd als mes of flesopener,
verstarde ze. De man die vroeger met haar had gespeeld,
keek nu kil uit zijn ogen.

'Het is niet voor jou.'

'Wat is niet voor mij?'

Een lach galmde door de kamer. 'Jij mag nog wel blijven,
maar deze vrouw vertrekt.'

Haar ogen volgden het handgebaar. Espérance stond in
de deuropening en wiegde Marie op haar rug.

De nagel kraste over het gelige wit. Sara keek. Het papiertje droeg hetzelfde logo als de boot die ze naar Goma
had genomen. Ze greep het ticket en staarde naar de datum.

'Het is niet voor jou.'

'O nee?' Haar stem klonk uitdagend.

Haar broer trok het papier uit haar handen en gaf het
aan zijn vrouw. 'Over twee uur vertrekt de boot, dus ik zou
maar opschieten.'

'Prince!'

Marie jengelde en Espérance haalde haar uit de draagdoek. Sara vroeg zich af of Prince' woorden wel tot haar doordrongen.

'Ik bel baba op.'

Prince liep op haar af.

'Ik ga hem vertellen wat voor zoon hij heeft.'

Ruw pakte haar broer haar bij haar polsen. 'O ja, durf je dat?'

Ze zag Espérance naar het slaapkamertje lopen.

Prince greep Sara steviger vast. 'Reken maar dat hij me groot gelijk zal geven als hij hoort dat ze met andere mannen in bed heeft gelegen.'

'Heb je bewijs?'

'Wat, bewijs? Ik heb het zelf op de markt gehoord!'

Sara worstelde zich los. 'Van Devote zeker, die roddeltante.'

Prince keek haar dreigend aan.

Sara sloeg hem in zijn rug. 'Je verscheurt nú het ticket, en gauw!'

Hij draaide zich om en pakte haar opnieuw bij haar polsen. Wild schopte ze met haar voeten en raakte hem waar ze kon.

Achter het zeil riep Espérance dat ze moesten ophouden. Sara kwam overeind, keek haar broer aan en spoog op de grond.

'Je verdient het om met dezelfde boot weggestuurd te worden.' Prince' stem klonk ingehouden.

'O ja, verdient ze dat echt?'

Sara keek op toen ze haar schoonzus hoorde.

Het zeil was weggeschoven. De vloer lag bezaaid met kledingstukken. Tussen de pagnes, blouses en lappen stof zat Espérance.

'Bemoei je met je eigen zaken, vrouw.'

Even zag Sara hoe de blikken van haar broer en schoonzus elkaar kruisten. Toen Marie harder begon te huilen, liep Sara naar het kind en pakte het op.

'Vergeet de watoto niet bij de bagage, Espérance.'

Sara draaide zich om naar Prince.

'Ik hoef ze niet meer,' zei hij. 'Misschien zijn ze niet eens van mij.'

Sara hield haar adem in en duwde de baby in Espérance' armen.

'En schiet een beetje op. De boot wacht niet.'

Met gebalde vuisten liep Sara op hem af. 'Prince, doe normaal! Wou je de kinderen ook naar Kalehe...?' Ze stopte en keek naar het gezicht van haar broer.

Espérance had de baby aan haar borst gelegd en wiegde haar bovenlijf heen en weer. Sara luisterde naar de zoemende geluiden van haar schoonzus.

'Nee,' zei hij nadenkend. 'Mijn zoon blijft hier.'

Later zag ze haar broer in zijn broekzak graaien. Hij haalde wat Congolese francs tevoorschijn en drukte die zijn vrouw in handen. 'Het is genoeg voor een brommer naar de haven.'

Sara wilde opstaan en de verfomfaaide biljetten versnipperen, maar Espérance had ze al aangenomen en in haar beha gestopt.

Prince liep weg en gooide de deur achter zich dicht. Het geluid van zijn lach echode na.

Espérance maakte stapeltjes op de grond. Sara keek ernaar. Het liefst wilde ze de luiers en wollen babypakjes door elkaar gooien. In plaats daarvan pakte ze het stuk zeep boven op de stapel. 'Ga je echt naar Kalehe?'

'Wat moet ik anders?'

Sara wees naar de zak met maracuja's op de grond. 'Ik ga met je mee naar de haven.'

Twee ogen staarden haar aan.

'Je kunt toch nooit alles op één brommer vervoeren?'

'Alsjeblieft, zoek Nicolas!' smeekte Espérance haar.

Sara keek om zich heen. 'Maar Prince wil niet...'

'Toe, schiet op!'

Op haar slippers rende ze naar buiten en kwam later met het ventje terug. Espérance had Marie in een doek op haar rug geknoopt en vroeg Sara de jutezak op haar hoofd te leggen. Terwijl haar schoonzus gebukt voor haar stond, voelde ze haar ogen nat worden. 'Dada, ik vind het...'

'Kom, we gaan.'

Op het moment dat ze de vastberaden blik in Espérance' ogen zag, wist ze dat ze mee zou werken. Met haar duim veegde ze langs haar neus en pakte toen Nicolas bij zijn arm. De kleine tas zette ze op haar hoofd.

Pas bij de doorgaande weg durfde Sara achterom te kijken. Niemand volgde hen. Een paar meter verderop onderhandelde haar schoonzus met twee motards. Sara liep naar hen toe en klom achter op een brommer. De jongen bukte en pakte Nicolas op. Sara greep het kind en zette het op haar linkerbeen. Met haar rechterarm hield ze de bagage vast.

Terwijl de brommer vooruit schoot, riep Sara tegen de motard dat hij rustig moest rijden. De jongen knikte. Rood zand stoof op. Jeeps van ontwikkelingsorganisaties omzeilden kuilen in de weg en lieten een spoor van stof achter zich. Sara kneep haar ogen half dicht. Brommers en vrachtauto's claxonneerden. Goudgele gordijnen, rijen schoenen en handgemaakte meubels aan de kant van de weg flitsten voorbij. Toen ze langs de koffiefabriek kwamen, herinnerde Sara zich de rokende pijp op de dag dat ze in Goma arriveerde

'Wordt er geen koffie meer uit de provincie vervoerd?' Ze

boog zich voorover zodat de motard haar kon horen.

'Sinds twee weken is de fabriek helemaal dicht.' De jongen zei iets over onveiligheid, maar Sara verstond maar de helft.

Het zand in de weg maakte plaats voor lavabrokken. Nicolas klampte zich vast aan haar arm. In de verte schitterde de zon op het water. Beide brommers reden nu naast elkaar. Sara keek naar Espérance' rug. De draagdoek schommelde heen en weer, maar de slapende baby leek er geen last van te hebben. Haar schoonzus had haar knieën om de zak met maracuja's geklemd en zag er vermoeid uit.

Op het moment dat Nicolas in haar arm kneep, schudde Sara zijn hand van zich af. Waarom hielp ze haar schoonzus eigenlijk? Prince had toch gezegd dat Nicolas thuis moest blijven? Misschien had hij gewoon gelijk dat Espérance niet te vertrouwen was.

'Eigenlijk verdien je het niet dat ik je help,' riep ze. 'Ik heb je twee keer gezien met de chef du marché.'

Ze zag Espérance' ogen groter worden.

'Zeg op, ben je met hem naar bed geweest?'

Een witte VN-truck haalde in en liet een spoor van stof achter zich. Espérance kuchte en draaide haar gezicht opzij.

'Nou?'

'Ik heb nooit seks met hem gehad.'

'En ook zeker niet zijn *mbolo* aangeraakt?' Sara wist dat ze te ver ging, maar de woorden rolden als vanzelf over haar lippen. Even keek ze naar de twee motards, maar die leken niets van het gesprek te horen.

'Hoe durf je!'

'Dat willen mannen toch graag?'

'Ik praat niet meer met je.'

Plotseling walgde Sara van zichzelf. Haar tong gleed langs de binnenkant van haar wangen. Ze voelde zich misselijk worden toen ze aan Sultans lichaam dacht.

Bij de haven aangekomen stapten de vrouwen af. Sara tilde Nicolas op de grond en liep richting de boot.

'Sara, wacht!'

Ze keek achterom en zag haar schoonzus de zak maracuja's over de grond slepen. Met grote passen liep ze naar haar toe en vroeg Espérance door haar hurken te gaan. Terwijl Sara de zak voorzichtig op het gebukte hoofd zette, voelde ze de blik van haar schoonzus.

'Je had gelijk. Ik heb hem wel aangeraakt.'

Sara zweeg.

'En weet je waarom?' De stem sloeg over. 'Om m'n kind op Kalche te kunnen onderhouden!'

'Je moet nog langs de DGM-beambte,' zei Sara luchtig terwijl ze Nicolas oppakte, die zich uit de voeten wilde maken tussen de mensen op de kade.

'Doe nou maar niet alsof je niets gehoord hebt! Je dacht zeker dat ik zwanger was?'

Sara kneep haar ogen half dicht. 'Is dat zo vreemd?'

'Nee, maar jij weet heel goed waarom ik dat geld van de chef nodig had!' De stem daalde in toonhoogte. 'Wat zou jij doen als je kind versleten kleren draagt?'

Mannen met volgeladen loopfietsen riepen dat ze aan de kant moesten gaan. Sara greep Espérance en wees naar de mannen die haar bijna omver zouden rijden.

'Zou jij je kind geen geld sturen voor een bord pap en een broek?'

'Je kon toch ook extra fruit inkopen?' Sara dacht aan het stapeltje geldbiljetten dat de moeder van Espérance had weggegrist.

'Heb je de hoeveelheid maracuja's gezien die ik elke dag niet verkocht kreeg?' Espérance rechtte haar schouders en kwam omhoog.

Sara keek naar de jutezak die boven het hoofd torende.

'Je had m'n broer toch gewoon alles kunnen zeggen?'

Espérance' lippen krulden zich. 'Meen je dat nou?' Ze lachte hoog en hard. 'En jij denkt dat hij me nog wil hebben als hij hoort van een kind van mij en de wayomba?'

'Ik breng je naar het kantoortje van de DGM.'

Sara voelde een hand op haar arm. 'Ik kon het niet vertellen. Maar dat begrijp jij toch niet.'

Nicolas trok haar mee de menigte in. Achter zich hoorde ze Espérance' slippers sloffen. Toen de formaliteiten geregeld waren, bracht ze haar schoonzus en de kinderen naar het water. De bootsjongen rolde de jutezak van de kade naar de boot. Plotseling drukte ze haar schoonzus tegen zich aan. 'Je gaat toch niet voor altijd weg?'

Espérance' ogen boorden zich in de hare. 'Zeg niets tegen Prince over Nicolas.'

Sara trok haar wenkbrauwen op.

'Hij mag niet weten dat jij me geholpen hebt.'

Sara tilde Nicolas aan boord.

'Vergeet het niet, ik heb zelf mijn zoon meegenomen.'

Met haar duim veegde Sara langs haar neus. 'Komt goed, dada.'

Terwijl de motoren van zich lieten horen, liep Espérance bij haar vandaan en stapte in. Sara wilde iets bemoedigends roepen, maar er kwam niets uit haar keel. In plaats daarvan keek ze naar de krulletjes van Marie die boven de draagdoek uit kwamen.

Een touw werd losgegooid.

'Laat het weten hè, als je iets voor de kinderen nodig hebt!'

Haar schoonzus glimlachte. 'Ik ga m'n moeder op het land helpen. En als de oogsten tegenvallen, kan ik altijd nog in het naaiatelier van...'

Motoren gromden. De kapitein schreeuwde iets naar de bootsjongen, waarna de boot op hoge snelheid wegvoer.

Sara keek totdat wolken de witte stip van de hemel veegden.

De dag erna was Prince nog steeds niet thuisgekomen. Sara sloot het huisje af en nam een taxibusje naar Centre Uhakika. Toen ze binnenstapte, hoorde ze kreten uit de verloskamer. De stem van Faida klonk er sussend doorheen. Ze liep erlangs en maakte een ronde langs de patiënten. Een man op leeftijd vroeg of ze familie in Kibumba had. Sara schudde haar hoofd.

'Dat is maar goed ook. Die mortiergranaten en gevechtshelikopters brengen heel wat teweeg.'

Zijn buurman wuifde zijn woorden weg. 'Zolang M23 op twintig kilometer afstand van Goma blijft zitten, lig ik hier prima.'

De oude man kwam omhoog. 'Dus jij bekommert je niet om al die gewonden en vluchtelingen?'

'Die redden zich wel, hoor.'

Sara zag de man naar zijn borst grijpen en duwde hem terug in het matras. Terwijl ze zijn pols voelde, vroeg ze wat er in het dorpje was gebeurd.

'Weet je niet dat Kibumba gisteren in handen van rebellen is gevallen?'

Zijn buurman lachte smalend. Sara draaide hem de rug toe en boog zich over de oude man. Er was iets niet goed met zijn hart, wist ze.

'Let op m'n woorden, kind. Ze komen hierheen, hoor!' De stem beefde.

Resoluut maakte Sara de knoopjes van het overhemd open en legde de borst van de man bloot. Ze vroeg de man te zuchten.

'Laat mij het van je overnemen.'

Sara draaide zich om en keek in het gezicht van Paluku.

De dokter beval haar naar de andere ziekenkamer te gaan omdat er verbanden verwisseld moesten worden. Ze wilde zeggen dat er weinig schone lappen voorradig waren, maar iets in zijn blik deed haar zwijgen. Toen ze de ruimte naast de verloskamer in liep, keek een groep vrouwen met baby's haar aan. Sara telde negen personen op de drie aanwezige matrassen. De vrouw die het dichtst bij de deur zat, wees naar achteren. Onder het raam lag een meisje met haar ogen dicht. De doek om haar bovenlijf was doorweekt met bloed. Bij het loshalen van het verband kreunde het kind.

Faida kwam binnen en vroeg of er een matras leeggemaakt kon worden voor twee nieuwe gewonden. Fel werd er geprotesteerd. Sara keek naar de verloskundige, die de vrouwen sommeerde hun baby's van de matrassen te halen. Het gewonde meisje kreunde opnieuw toen de vrouw naast haar begon te schreeuwen. Faida wees de vrouw terecht en zei dat ze haar kind op schoot moest nemen.

Sara liep naar de deur. In het washok spoelde ze een teiltje schoon. Daarna goot ze een halfvolle jerrycan leeg. Terwijl ze naar de ziekenkamer terug liep, bracht Faida schone lappen. Het meisje huilde toen Sara haar wonden schoonmaakte en droogdepte. Op het moment dat ze zich afvroeg of Paluku genoeg hechtdraad op voorraad had, kwamen twee oude vrouwen de kamer binnen. Ze werden ondersteund door Faida. Sara keek vluchtig naar ze en concentreerde zich weer op het meisje.

'Heb je al nagedacht welke techniek je gaat toepassen?'

Sara schrok toen ze een hand op haar schouder voelde.

'Je hebt het laatste hoofdstuk van het boek toch wel gelezen?' De dokter kwam op zijn hurken bij haar zitten en haalde alcohol en draad uit zijn jaszak.

Achter haar klonk geroezemoes. 'Laten we haar in het medicijnkamertje behandelen,' zei ze.

Paluku tilde het meisje op en liep voor Sara uit. Het meisje huilde nog steeds toen ze op de grond werd gelegd.

Sara streelde de arm van het kind terwijl ze de dokter vroeg verdovingsvloeistof te halen. Ze hoorde hem zeggen dat het restant dat hij had alleen in noodgevallen gebruikt mocht worden. Met een zwaai haalde ze de bebloede lap van de borst. 'Wat dacht u hiervan?'

Even glimlachte de dokter, daarna liep hij weg en kwam terug met een doorzichtige fles. Het meisje kreunde toen hij de huid verdoofde. Sara pakte hechtdraad en boog zich over de wond. Paluku gaf aanwijzingen hoe ze de randen tegen elkaar moest leggen. Zodra ze klaar was, fluisterde hij iets tegen het meisje. Sara kon niet verstaan wat hij zei, maar zag een flauwe glimlach op het gezichtje.

Later nam hij Sara mee naar zijn kantoortje. Ze keek naar het studieboek dat al weken onder het stof lag. Nadat ze alle hoofdstukken twee keer gelezen had, had ze het boek weggelegd.

'Je hoorde het al van Kibumba?'

Ze keek hem vragend aan. Begon hij ook al over het dorpje?

'Ik verwacht dat ze binnen een paar dagen Goma aanvallen.' Hij keek nadenkend.

'M23?'

'Stil, er zijn spionnen in de stad.'

Sara schudde haar schouders. 'Ze zitten ver weg, op twintig kilometer afstand van hier!'

'Luister, mtoto. Ik wil dat je vertrekt.'

Ze hield haar adem in. Had Prince met hem gesproken? Wilde haar broer haar net als Espérance wegsturen?

'Morgen vertrekt er een boot en ik wil dat je die neemt voordat er helemaal geen vervoer meer is.'

'U ontslaat mij?'

'Ja.' Met een harde klap sloeg hij op het studieboek. 'En daar heb ik het recht toe. Mijn patiënten hebben behoefte aan geschoold personeel.'

Sara trilde op haar benen. 'Hoe durft u!'

Voordat ze kon weglopen, had hij haar bij de schouders gepakt. 'Weleens van het I.S.T.M. in Bukavu gehoord?'

'Nee, en het interesseert me ook niets.'

'Nou, het is anders wel het beste instituut waar je verloskunde kunt studeren.'

'Het zal wel.'

'Wacht even, dame. Nooit aan de toekomst gedacht?'

Sara dacht aan Claude en lachte smalend. 'Toekomst?'

'Morgen vertrek je naar Bukavu en je komt niet eerder terug dan wanneer je je studie hebt afgerond.'

'Ik ga uniformen uitspoelen.' Ze draaide zich om.

'Ken je het instituut?'

Afwezig herhaalde ze de naam, waarna ze hem hoorde zeggen dat ze bij David kon wonen.

'David?'

'Ja, je broer.'

'Ik dacht dat u alleen Prince kende.'

'David zat een jaar boven mij tijdens de studie geneeskunde.'

Ze liep op hem af. 'Dus David wil ook dat ik hier wegga?'

Hij greep haar arm. 'Er gaan geruchten...'

'Over M23 zeker.' Ze snoof en stak haar kin naar voren. 'Dus jullie sturen me gewoon weg, terwijl ik niet eens geld heb om aan zo'n instituut te studeren?'

De dokter keek peinzend langs haar heen.

'Nou?'

'Het eerste studiejaar is betaald.'

'Wat?' Ze hield haar adem in. De blik in zijn ogen zei dat ze niet moest doorvragen. Sara wipte op haar tenen en dacht aan haar oudste broer. Was het geld van hem afkomstig? Zo veel had hij niet. Soms kregen haar vader en moeder gratis medicijnen uit zijn apotheek, maar dat was maar een paar keer gebeurd.

De dokter liep naar het bureau en rommelde in zijn papieren. Plotseling zag ze hoe vermoeid hij eruitzag. Hoeveel nachten had hij die week wel niet doorgewerkt om bevallingen en spoedingrepen te doen?

Een papier ritselde.

'Ik blijf hier.'

Twee ogen keken op.

'Weet u hoeveel gewonden er vandaag zijn binnengekomen?'

'Daarom juist.' De stem daalde. 'Het wordt te onveilig hier, mtoto.'

'U hebt me nodig.'

'David en ik staan erop dat je vertrekt.'

In de verte klonk geweervuur. Sara bukte automatisch.

'O Mungu.'

Was het de dokter die bad? Ze deed haar handen omhoog en fluisterde in haar moedertaal de stem na. In de verloskamer klonk het eerste krijsen van een baby. Het leek alsof de man naast haar ontwaakte. Abrupt stond hij op.

'Morgen vertrekt je boot, vergeet het niet. Blijf vannacht hier slapen. Ik heb je hulp nodig.'

Later die dag zwakte het geluid van geweervuur af. Paluku gaf Sara opdracht een noodvoorraad water aan te leggen. Terwijl ze met twee kinderen van Faida jerrycans versleepte, zag ze een pantserwagen aan de kant van de weg staan, waar het hoofd van een VN-militair bovenuit stak. Nauwlettend hield hij vanachter zijn mitrailleur voorbijgangers in de gaten. Sara keek omhoog. Het blauw van de baret stak schril af tegen het legerbruine uniform. Toen de man grimmig naar haar keek, draaide ze haar gezicht weg.

Op de weg kwamen twee jeeps aangereden, waar militairen uit sprongen die rollen prikkeldraad uit de achterbak haalden.

'Doorlopen!' zei Sara tegen de treuzelende kinderen. Balancerend met de jerrycan liep ze verder. Een van de kinderen keek angstig achterom.

Toen ze met lege bidons van de kliniek terugkwamen, was de weg geblokkeerd. Voor het prikkeldraad stonden soldaten. Een brommerjongen foeterde dat hij erdoor wilde. Sara dacht aan de grote ton in het washok die tot aan de rand met water gevuld moest worden. 'Laat mij er ook door!' zei ze.

Twee soldaten met zwarte baarden en een licht getinte huid wezen naar het prikkeldraad en schudden hun hoofd. Toen de motard riep dat ze naar Pakistan terug moesten gaan en in Goma niets te zoeken hadden, zeiden ze iets tegen een Congolese militair. Sara keek toe hoe de militair met grote passen op de jongen af liep. Ze duwde de kinderen van de weg af en nam een ander pad naar de waterkraan.

Na een paar uur was de voorraad water aangevuld. Paluku vroeg haar om verschillende apotheken in de stad af te gaan voor medicijnen en injectienaalden. Als ze niets kon krijgen, moest ze in elk geval voldoende alcohol en verdovingsvloeistof meenemen.

In het centrum liep ze langs het standbeeld van de chukudu en herinnerde zich hoe stelletjes in hun mooiste kleren ervoor geposeerd hadden. Vandaag was er geen enkele fotograaf te bekennen. Links van de rotonde stonden open jeeps opgesteld. Sara staarde naar de zwarte VN-letters. Waren alle doorgaande straten gebarricadeerd?

In de stad was veel verkeer. Het leek alsof heel Goma was uitgelopen om voedsel en water in te slaan. Vrouwen sjouwden meelzakken op hun rug, kinderen liepen er met jerrycans sloffend achteraan. Sommige winkels waren dicht. Andere hielden uitnodigend hun deuren open.

Later discussieerde ze met een apotheker over de prijs van de medicijnen die ze nodig had. Toen de man hardnekkig vasthield aan zijn bedrag, dacht ze aan de maanden dat haar salaris niet was uitbetaald. Ze wist dat Vitale en andere collega's ook niets hadden gekregen, omdat Paluku het geld nodig had voor medicijnen en naalden. Met haar ogen half dichtgeknepen gooide ze haar dollars op de toonbank. De man lachte terwijl hij de briefjes naar zich toe graaide. Sara keek hem minachtend aan en liep met de apotheek-spullen naar buiten.

Die nacht hielp Sara Faida bij een bevalling. Bij het licht van een petroleumlamp ontsmette ze instrumenten, terwijl Faida de vrouw ondersteunde. Toen er als eerste een armpje tevoorschijn kwam, probeerde de verloskundige het kind te draaien. Sara zei dat Paluku moest komen, maar Faida fluisterde dat de dokter net sliep. Op het moment dat de vrouw begon te vloeien, snelde de verloskundige weg. Later voerde de dokter een spoedkeizersnede uit. De baby kwam krijsend ter wereld.

'Zeg tegen niemand dat je hier geopereerd bent.' Paluku keek de kraamvrouw streng aan.

Sara grinnikte. Direct erna boog ze zich voorover om de vrouw te wassen. Waarom had ze niet aan het verbod van de inspecteur gedacht? Ze zag Paluku weer voor zich toen hij tegen de man was uitgevallen, omdat hij geen operaties meer op de houten bank mocht uitvoeren. 'Het spijt me,' mompelde ze.

'Dat is je geraden ook.' Met een zwaai duwde de dokter de kromme spijker van de deur opzij en liep weg. Faida ging hem achterna, keek de gang in en duwde het slot weer op zijn plek.

Bij het schemeren van het eerste zonlicht door de ramen zei Paluku dat Sara naar huis moest gaan. Uit zijn zak haalde hij een ticket tevoorschijn.

Goma – Bukavu, las Sara.

'De boot vertrekt niet vanuit de grote haven, maar vanuit Kituku. Je hebt een tussenstop in Kalehe.'

Ze hoorde hem zeggen dat het beter was dat ze ging.

'O ja?' Uitdagend hield ze het ticket in de lucht.

'Ik zal je missen, mtoto.' Hij zuchtte vermoeid. 'Maar ik ben het met David eens.'

Even keek ze hem vragend aan. Wat bedoelde hij?

Hij legde zijn handen op haar hoofd. 'Mungu akubariki.'

'God zegene u ook.' Bruusk draaide ze zich om en liep de kliniek uit.

'Beloof me dat je na je studie terugkomt!'

'Ik weet niet of ik verloskundige word,' riep Sara over haar schouder.

Hij glimlachte. 'Eerst verloskundige, daarna arts. Beloof het me!'

Terwijl ze plechtig haar hand op haar borst legde, zag ze haar vaders ogen weer voor zich. Ze hadden lichtjes gekregen toen ze had beloofd na haar studie met Sultan te trouwen. Het beeld vervaagde toen ze bij Paluku vandaan snelde.

Thuis zakte ze op een krukje neer. Terwijl ze haar slapen

masseerde, keek ze om zich heen. Het leek alsof Prince er dagen niet was geweest. Moest ze een briefje voor hem achterlaten? Haar ogen gingen over het kookgerei in de hoek van de kamer. Zonlicht weerkaatste op een plastic fles. Een witte kelk hing verdroogd over de rand. Ze liep ernaartoe.

'Vertel het de jongen van de bloem.'

Sara luisterde, maar Espérance was er niet. Met haar duim en wijsvinger kneep ze de verdroogde stengel fijn en lachte. Boven de teil met kookgerei zag ze het gezicht van Claude. Hij keek haar met glanzende ogen aan, terwijl hij met zijn gitaar van de vlonder stapte. Achter hem liep haar schoonzus het water in. Golven sloten zich als langgerekte visdraden boven hun hoofd. De kamer vulde zich met borrelende geluiden. Even leek het alsof Sara gezoem hoorde, maar het geluid stopte toen de wind het golfplaten dak in beweging zette.

Cassavewit

Vanonder het matras pakte Sara de opgespaarde geld-biljetten. Het bedrag was minder hoog dan ze had gewild, maar genoeg om datgene te kopen wat ze in haar hoofd had. Even glimlachte ze toen ze aan de onbekende weldoener dacht die haar studiejaar had betaald. Vervolgens keek ze hoeveel tijd ze nog had voordat de boot zou vertrekken en propte haar rokken, blouses en lappen stof in een rieten tas. Onderweg naar de haven stopte ze bij een kleine winkel. Met de verkoper onderhandelde ze over de prijs.

'Je vraagt meer dan hiernaast.'

'Je bedoelt Sambela Nzambe?'

'Ja natuurlijk, welke winkelier anders!' Sara keek de verkoper aan en snoof.

'Hij zal ook honderdvijftig vragen. Trouwens,' de man boog zich voorover, 'ik vraag me sterk af of hij ze nog wel heeft staan.'

Sara vroeg zich af wie de man was die hij noemde, maar liet niets merken. Ongeduldig klopte ze met haar vingers op het zwarte lak. 'Honderddertig dollar, inclusief tafel en pedaal.'

De verkoper lachte. 'Weet je zeker dat Sambela een Singer bedoelde en geen Sendo?'

'Ik ben niet gek. Nou, wat wil je voor de naaimachine hebben?'

Nadat de prijs genoemd was, begon hij omstandig het kwaliteitsverschil tussen beide merken uit te leggen, alsof hij bang was dat Sara zich zou bedenken.

Toen de man weigerde het bedrag te verlagen, liep ze naar buiten.

'Het kan de laatste dag zijn dat je in Goma een naai-machine kunt kopen!'

'O ja?' Sara grijnsde over haar schouder.

'Ze kunnen elk moment hier zijn. Misschien dat ik van-avond de boel al wel barricadeer.'

'Dat zou ik maar doen. Wie weet hoeveel jurken de re-bellen willen hebben!'

Er klonk een verwensing.

Sara draaide zich om en liep naar hem toe. 'Heb je wel genoeg cassavemeel, olie en water in huis?'

De man stak zijn handen omhoog.

'Je zult geld nodig hebben.'

'Ik verkoop al dagen niets.'

'Vandaag misschien wel.'

'Ja?' Hij keek haar hoopvol aan.

'Honderddertig dollar.'

De man floot.

'Ik heb haast, de boot wacht niet.'

Ze hoorde hem vragen of de veerdiensten wel voeren. Met haar vingers tikte ze op de naaimachine.

'Honderdvijfendertig.'

'Sawa.' Uit haar beha haalde ze de opgespaarde dollar-biljetten en legde ze op de toonbank. Even later sjouwde de man de machine naar buiten en riep een motard. Toen ze op de brommer geklommen was, zette de verkoper het ding tussen haar benen en mompelde een groet. Sara pakte de rieten tas van de grond en slingerde hem omhoog. De jongen schoof naar voren en startte de motor. Terwijl links en rechts van haar brommers door het verkeer zigzagden, probeerde Sara langs de opgestapelde bagage te kijken. Ze kon amper iets zien en kreeg hoofdpijn van het getuur. Gouden letters dwarrelden voor haar ogen. Het zwart van de naaimachine maakte de opdruk nog reusachtiger. *Singer.* Ze dacht aan de verkoper die het over een ander merk had gehad. Het was ook een naam met een 'S' geweest, maar de rest was ze vergeten.

Langs de weg liepen vrouwen en kinderen met jerrycans. Houten karren, volgeladen met kratten en jutezakken, werden aangeduwd. Bij een kruising stond een agent midden op de weg. Toen hij floot en het verkeer van een zijstraat voorrang gaf, slipte de brommer in het zand. Sara gaf de motard een duw en riep dat hij voorzichtiger moest remmen. Rechts van hen reed een brommer door. Er klonk geschreeuw en getoeter. Sara keek naar de zwaaiende armen van de agent.

Na een nieuw fluitsignaal greep ze de naaimachine weer vast. De brommer maakte vaart. Kledingstalletjes, slagerijen en boetiekjes lieten uitnodigend hun waar zien. Rechts van haar flitste de tekst *Jezus is het goede antwoord* voorbij. Ze keek naar de pui van de supermarkt en vroeg zich af of de deuren ook gebarricadeerd zouden worden.

Boven hen cirkelde een helikopter. Sara keek of ze militairen in het toestel zag zitten en dacht aan baba. Wist hij van de bombardementen dicht bij Goma? Die ochtend had hij ongerust geklonken. Dagenlang had ze zinnen uit haar hoofd geleerd om hem van haar plannen te vertellen. Toen ze hem had opgebeld, had ze het over Paluku en de nachtelijke bevalling gehad. Voordat ze over het bootticket naar Bukavu had kunnen beginnen, was hij haar in de rede gevallen. 'David belde, ik weet ervan.' Hij had iets gezegd over vis, maar de lijn was daarna zo slecht geweest dat ze er niets van had begrepen.

De helikopter draaide een laatste rondje en vloog richting het noorden. Sara keek het ding na en vroeg zich af of er in Bukavu ook VN-militairen waren. David wilde dat ze kwam. Was het alleen vanwege de onveiligheid? Of wist hij meer over de dreigementen van Sultan en haar belofte aan haar vader? Hij had in elk geval naar Ishovu gebeld. Haar hand klemde zich steviger om de naaimachine. Misschien was baba met hem in discussie gegaan en wilde haar vader dat ze naar het eiland zou komen.

De brommer passeerde het slachthuis. Op het naastgelegen grasveld was geen enkele koe te bekennen. Kinderen renden met een stuk touw over het gras. Oude mannen zaten onder de schaduw van een avocadoboom. Op het moment dat de motard het terrein van de haven wilde oprijden, werd hij aangehouden door een Congolese militair. Sara moest afstappen en haar bagage laten zien. De soldaat woelde met zijn hand door haar kleren. Even later knikte hij. Met een zwaai zette ze de rieten tas op haar hoofd, pakte de naaimachine en gaf de brommerjongen zijn geld.

Bij het instappen van de boot zag ze dat de meeste passagiers al op hun stoel zaten. Naast een opgeschoten knul, helemaal achterin, vond ze een plekje. De jongen keek verstoord op toen ze de naaimachine tegen zijn been schoof. Met een grom boog hij zich over zijn mobiel. Het geluid van de startende motor mengde zich met muziek uit de telefoon. Terwijl de boot begon te varen, keek Sara achterom. Door het open raam zag ze huizen steeds kleiner worden. De vulkaan echter werd steeds reusachtiger. Toen ze pijn in haar nek kreeg, draaide ze zich naar voren.

De wind nam toe op het open water. Sara voelde de punten van haar hoofddoek wapperen. Met haar duim en wijsvinger controleerde ze de knoop op haar voorhoofd.

'Ga eens aan de kant!'

Sara keek naar de vlechtjes onder de baseballpet die bij elke nieuwe schommeling heen en weer bewogen.

'Je zit met je elleboog in mijn gezicht!'

Verdwaasd keek ze naar haar arm en haalde hem omlaag.

De jongen boog zich weer over zijn mobiel. Sara staarde naar de vaalblauwe spijkerbroek die hij droeg. De wind deed het T-shirt erboven bollen. *Leve de Republiek! Zestig jaar onafhankelijkheid.* In scheve letters stonden de woorden boven het plaatje van Congo afgebeeld.

Plotseling moest ze lachen. Ze lachte om het shirt, om helikopters, om geweervuur, om Paluku's bezorgdheid, om dansende vlechtjes. Schaterend wreef ze de tranen uit haar ogen. 'Leuk shirt draag je.'

'Wat?'

'Laat maar zitten!'

De jongen keek haar fronsend aan en zette de muziek harder.

De boot schommelde toen hij een grote veerboot inhaalde. Sara rilde in haar dunne blouse. De uiteinden van haar hoofddoek waaiden steeds vaker in haar gezicht. Vergeefs probeerde ze de slierten te grijpen. Ze draaide haar bovenlijf een kwartslag en keek achterom. De wind kwam nu van voren.

Sara keek opzij en zag de bootsjongen voorbijlopen. Later morrelde hij aan het raam. Toen hij het luik niet dicht kreeg, hoorde ze passagiers aan de andere kant van het gangpad roezemoezen. Sara deed haar ogen dicht. Het geluid van het klapperende raam mengde zich met het spel

van golven en wind. Op de achtergrond klonk een opzwe-
pend liedje uit een telefoon.

'Hou je boel bij elkaar!'

Was de naaimachine verschoven? Met een vluchtige blik
keek ze opzij en zag hem nog op dezelfde plek staan, waarna ze haar hoofd weer in de wind draaide.

'Hou je boel...'

De vormen van de vulkaan waren verdwenen. Goma leek
verder weg dan ooit. Sara keek naar het spoor van opstuivend water.

Weer hoorde ze die stem. Ze boog zich naar het geluid.
De slierten van haar hoofddoek bewogen mee. Haar hand
probeerde de stof te grijpen.

'Trek dat ding van je hoofd.'

'Wat?'

De jongen wees met zijn duim. 'Het slingert elke keer in
m'n gezicht.'

Met half dichtgeknepen ogen staarde ze hem aan en trok
het petje over zijn ogen.

Een hand sloot zich om haar pols.

Sara hoorde zichzelf schreeuwen. Vanuit het gangpad
zag ze de bootsjongen komen.

'Trek die rode doek van je hoofd.' De stem klonk ingehouden.

Vlekken doemden op. De bootsjongen veranderde in het
beeld van haar vader. 'Vanaf vandaag ben je vrouw.' Trots
had hij haar de hoofddoek overhandigd. Moeder had gezegd dat rood haar heel goed stond en haar geholpen de
doek te knopen. Toen ze daarna zichzelf in een spiegeltje
had bekeken, had ze alleen maar aan het bloed in haar on-
derbroek kunnen denken. Wrevelig schudde ze haar schouders. Waarom dacht ze aan het verleden?

Ze voelde iets tegen haar hoofd.

'Apana!' De bootsjongen trok aan de arm van haar buurman.

Sara keek ernaar zonder te beseffen wat er gebeurde. Terwijl ze vanuit haar ooghoek de vlechtjes zag bewegen, dacht ze aan baba. Destijds had ze hem huilend om een witte doek gesmeekt, net zo een als haar vriendin Nsimire had gekregen. Er was geen mooiere, vond ze. Wit, zoals de binnenkant van een cassaveknol. Maandenlang had Sara zich geschaamd, omdat veel meisjes hun witte doek al droegen en zij niet. Iedereen kon zien dat ze nog niet bloedde. Toen het echter zover was – en ze boven de latrine niet wist hoe ze een stuk pagne in haar broekje moest vouwen – had ze op de binnenkant van haar wangen gebeten. De buikpijn was gebleven, maar ze had zichzelf getroost dat baba zijn cadeau spoedig zou geven. Op het moment dat haar vader de felgekleurde hoofddoek in haar handen had geduwd, had hij gezegd dat hij in geen enkel boetiekje in Kalehe een witte doek had kunnen vinden. Ze had stampij gemaakt. Baba had moeder erbij gehaald die haar uitleg had gegeven over de règles en maagdelijkheid. Nu ze bloedde, moest ze haar vrouw-zijn goed bewaren en een hoofddoek dragen. Ze hoorde het moeder nog zeggen. 'Rood is mooi en heeft dezelfde betekenis als wit. Echt waar.'

'Blijf van haar af.' De bootsjongen snauwde.

Sara voelde iets aan haar hoofd trekken. Plotseling zag ze alles om zich heen scherper. Toen ze vooroverboog, hoorde ze opnieuw een schurend geluid. Met haar vuisten sloeg ze op de arm van haar buurman. 'Waar haal jij het lef vandaan om aan m'n doek te zitten?'

De jongen trok een scheve grijns.

'Ik wil dat je...'

'Rustig aan, chérie.'

'Ik ben je liefste niet!'

'Blijft u kalm zitten, mevrouw.' De bootsjongen probeerde haar in de stoel terug te duwen.

Ze wilde hem van repliek dienen, maar zweeg toen ze tientallen mensen naar zich voelde kijken. Met een ruk trok ze haar hoofddoek losser en schoof hem over haar ogen. Terwijl ze zich in haar hoekje nestelde, hoorde ze het volume van de muziek toenemen. Keek haar buurman nog naar haar? Of speelde hij gewoon met zijn mobiel? Ze vertrouwde hem niet. De blik in zijn ogen deed haar denken aan Sultan.

'De hoofddoek draag je uit respect voor de man.' Baba's stem klonk van ver. Als twaalfjarig meisje had ze er weinig van begrepen. Ze had vooral aan pagnes gedacht die goed bij de kleur van de stof zouden passen. Een paar jaar later, toen steeds meer meisjes hun haren lieten vlechten en blootshoofds over straat gingen, had ze geweigerd haar hoofddoek te dragen.

Haar hand streelde een rode sliert. Na de zondag in de hut was alles echter veranderd. Ze wist nog precies wat ze zich stellig had voorgenomen. Ze zou de doek dragen. Zolang haar hoofd getooid was met het rood, zou haar geheim veilig zijn.

Beboste eilanden schoven voorbij. De boot minderde vaart. Waren ze er al? Ze keek naar buiten. Claude leek op immense afstand. Hoeveel dagen was het geleden dat hij haar omhelsd had? Ze schudde haar schouders. Geen Claude nu.

'Wil je dat, een huwelijk met geheimen?'

Geërgerd duwde ze de hoofddoek omhoog en keek opzij. De jongen naast haar leek verdiept te zijn in zijn muziek.

Weer hoorde ze de stem van Claude.

Resoluut greep ze naar de rode stof, trok de knoop los en hield de doek in de lucht. Daarna scheurde ze de lap doormidden. De stof gleed moeiteloos door haar vingers.

Zorgvuldig scheurde ze brede stukken tot smalle stroken, alsof ze alle passagiers van een reep moest voorzien.

'Rood te koop!' Haar stem klonk rauw.

Gezichten draaiden zich om. Er klonk gelach.

Windvlagen streken langs haar hoofd. Ze woelde door haar kroeshaar en lachte mee. Daarna boog ze zich voorover en greep in de rieten tas. Haar vingers gleden over de pagnes, blouses en ondergoed. Onder in de bagage vond ze de lap. Terwijl ze de witte hoofddoek tevoorschijn haalde, keek ze naar de ragfijne draden. Haar handen namen de doek en knoopten hem losjes over haar oren. Wat baba haar destijds onthouden had, zou ze schaamteloos dragen. Wit was immers mooier dan rood?

Achter haar klapperde het raam. De wind nam een paar stroken stof mee naar voren. Sara staarde ze na en hoorde haar vader iets zeggen over onderdanigheid.

Voor welke man moest ze een doek dragen en respect hebben? Claude en Sultan waren buiten beeld. Baba was ver weg. In Bukavu zou ze niet opvallen zonder hoofddoek. Studeren zou ze, een eigen leven opbouwen.

Het wit waaide van haar hoofd. Haar handen grepen de stof. Terwijl ze vanuit haar ooghoeken haar buurman zag kijken, scheurde ze ook deze hoofddoek aan stukken.

De stof voelde soepel aan. Bij elke nieuwe scheur lachte ze.

De jongen grijnsde.

Sara pakte de kleine stroken en hield ze omhoog. Daarna bond ze de rode aan de witte uiteinden.

Een nieuw liedje schalde uit de telefoon. Heupwiegend

bewoog ze op haar stoel mee. De lange vlag in haar handen wapperde op en neer.

'Over een paar minuten zijn we in Kalehe.' De bootsjongen had zijn handen langs zijn mond gezet om boven de wind uit te komen. 'Passagiers die doorvaren naar Bukavu wordt verzocht te blijven zitten!'

Sara staarde naar buiten toen ze hoorde wat hij riep. De boot zou echt wel op haar wachten. Vanaf het moment dat de steiger in zicht kwam, zochten haar ogen de mensen op de kade af. De gezichten waren nog te ver weg om ze te kunnen onderscheiden. Vissersboten lagen op de kant. Een aantal mannen repareerde netten. Op de steiger rende een klein jochie heen en weer. Juichend stak hij zijn handen in de lucht. Sara tuurde. Nadat de motor uitgeschakeld was, hoorde ze zijn stemmetje.

Aan de andere kant van het gangpad zag ze mensen hun spullen pakken. Toen de contouren van het kindergezicht scherper werden, bukte ze. Met snelle halen bond ze de vlag van rode en witte stroken over de letters. De stof bedekte het goud. Singer. Surprise. Het begon allebei met een 'S'. Met een zwaai tilde ze de omwikkelde machine omhoog en zette hem op haar schoot.

Later stapte ze uit. Het jongetje rende naar voren en omhelsde haar benen. Achter hem kwam een vrouw uit de mensenmassa tevoorschijn.

Sara glimlachte. 'Ik dacht dat je mijn sms niet had gehad!'

'Zeker wel, dada.' Ze pakte haar mobiel en zei dat ze geen beltegoed had. Daarna deed ze een stap naar voren en vroeg wat Sara kwam doen.

Plotseling vond ze haar plan bespottelijk. Ze keek naar de gescheurde stroken van haar hoofddoek die het onderstel en het pedaal vrijlieten. Vrolijk bewogen de uiteinden van de vlag heen en weer. Ze hoorde zichzelf iets mompelen over misoogsten en tekort aan inkomsten. Hoewel de vrouw leek te luisteren, zag Sara haar vaak om zich heen kijken. Was ze bang om met haar gezien te worden? Op het moment dat er nieuwe passagiers instapten, zette Sara de naaimachine op de grond. Met snelle passen liep ze naar de steiger.

'Dada?'

Op haar slippers draaide ze een rondje. 'Surprise!'

De vrouw knielde op de grond en duwde de stof weg.

Sara lachte.

Toen ze de bootsjongen hoorde roepen, snelde ze weg. Vanaf het water zag ze Nicolas met de vlag spelen. Hij danste en danste. Zijn moeder keek naar hem. Sara zwaaide, maar de vrouw had alleen maar oog voor het kind.

Later zag ze haar de machine op haar heup zetten en weglopen. Het jochie stapte mee, de rood-witte stroken achter zich aan slepend – alsof geen zand en modder hem konden deren.

Woordenlijst Frans (Fr), Swahili (Sw), Kihavu (Ki) en Engels (En)

aksante saana (Sw)	hartelijk bedankt
aksanti (Sw)	bedankt (meervoud van aksante)
amour (Fr)	liefde
apana (Sw)	nee
baba (Sw)	vader
beignets (Fr)	bolletjes brood
'bienvenu' (Fr)	'welkom'
Birere	vrijwel de meest armoedige wijk in Goma
brousse (Fr)	rimboe, wildernis
CBCA-*église* (Fr)	kerk van het baptistengenootschap CBCA, Communauté Baptiste au Central de l'Afrique
Centre Uhakika (Sw)	klein medisch centrum aan de rand van Goma
chef du marché (Fr)	belangrijkste man op een markt in Goma, hij is het aanspreekpunt voor marktvrouwen en draagt zorg voor het innen van belastingen
chefferie (Fr)	een rechtsgebied van een stamhoofd of lokale leider
chérie (Fr)	liefste
chukudu (Sw)	houten loopfiets die vooral voor het transporteren van goederen wordt gebruikt

Créateur (Fr)	Schepper
dada (Sw)	zus
dada mpenzi (Sw)	liefste zus (aanspreektitel voor meisje)
deuxième bureau (Fr)	letterlijk 'tweede kantoor', wordt gebruikt om een minnares of concubine mee aan te duiden
DGM (Fr)	Direction Générale de Migration (soort douane)
ensemble (Fr)	een rok met een blouse van dezelfde stof
Esaïe (Fr)	Jesaja (profeet uit de bijbel)
Ezéchiel (Fr)	Ezechiël (profeet uit de bijbel)
Fanta citron (Fr)	Fanta citroen
FARDC	Forces Armées de la République Démocratique du Congo (regeringsleger van Congo)
FDLR	Forces Démocratiques de Libération du Rwanda (rebellengroep die vooral uit Hutu bestaat)
Heal Africa	naam van het belangrijkste ziekenhuis in Goma
'Hodi!' (Sw)	'Mag ik binnenkomen?'
I.S.T.M.	Institut Supérieur des Techniques Médicale (het oudste en bekendste instituut in Bukavu om verloskunde te studeren)
'jambo' (Sw)	'hallo'
'jambo saana' (Sw)	'hallo' (groet terug)
'Je crois à Dieu tout puissant' (Fr)	'Ik geloof in God de Almachtige'
'Jésus est la lumière' (Fr)	'Jezus is het licht'
kaka (Sw)	broer

karibu (Sw)	welkom
kasigisi (Ki)	bananenbier, gemaakt van lokaal bananensap en alcohol
lenga lenga (Sw)	amaranth (Fr), een bladgroente
Lulema (Ki)	aanspreektitel voor God als Schepper
machette (Fr)	groot Afrikaans mes
madame (Fr)	mevrouw
mamans (Fr)	vrouwen
mangaribi njema (Sw)	'Goede avond'
maracuja	pruimvormige vrucht
Mbinga	naam van een gebied bij Kalehe
mbolo (Sw)	mannelijk geslacht
'merci' (Fr)	'bedankt'
monsieur (Fr)	meneer
'montezl' (Fr)	'klim erop!' (door brommerrijders gebruikt)
MONUSCO	Mission de l'Organisation des Nations Unies en République Démocratique du Congo (vredesmacht van de Verenigde Naties in Congo)
motard (Fr)	brommerrijder
MSF (Fr)	'Médécins Sans Frontières', een medische hulporganisatie (in het Nederlands 'Artsen Zonder Grenzen' genoemd)
mtoto (Sw)	kind
Mungu (Sw)	God
Mungu akubariki (Sw)	Dat God je moge zegenen
mzungu (Sw)	blanke
M23	'Mouvement du 23 mars', een rebellengroep die zich uit onvrede op 23 maart 2009 afsplitste van het Congo-

	lese regeringsleger (FARDC) en in november 2012 Goma overmeesterde. De militiegroep bestaat vooral uit Tutsi
ndazi (Sw)	Congolese oliebollen
'*Ni bei saana*' (Sw)	'Het is te duur'
Nyiragongo (Sw)	naam van de vulkaan bij Goma
Okapi	lokale zender op de radio
pagne (Sw)	traditionele rok of de naam voor een grote lap stof
Panzi-ziekenhuis	ziekenhuis in Bukavu dat vooral bekendstaat omdat er vaginale hersteloperaties worden uitgevoerd bij verkrachte vrouwen en meisjes
'*Pas d'argent!*' (Fr)	'Geen geld!'
pasteur (Fr)	dominee
patates douces (Fr)	aardappelachtige knollen
pauvre (Fr)	arm
Le Petit Bruxelles (Fr)	naam van een Belgisch eetcafé in Goma
pirogue (Fr)	houten roeiboot of prauw
professeur (Fr)	(hoog)leraar
règles (Fr)	menstruatieperiode
'*rond-point chukudu*' (Fr/Sw)	rotonde met de loopfiets (aanspreektitel voor een belangrijke rotonde in Goma)
sambaza (Sw)	kleine visjes die vooral gefrituurd worden gegeten
'*sawa*' (Sw)	'oké'
Seigneur (Fr)	Heer (aanspreektitel voor God)
six cent francs (Fr)	zeshonderd francs
sombe (Sw)	gekookte bladeren van de maniok
splendeur, magnificence (Fr)	heerlijkheid, majesteit

sucre (Sw)	flesje frisdrank
Toss	wasmiddelmerk
ugali (Sw)	meelbal (meel van cassave of maïs)
ULPGL (Fr)	naam van een universiteit in Goma, 'Université Libre de Pays de Grand Lacs'
UNDP's Human Development Index	rapportages over het ontwikkelingsniveau in landen, opgesteld door de Verenigde Naties (afkorting voluit: United Nations Development Programme)
unités (Fr)	beltegoed
Université de Goma	een staatsuniversiteit in Goma
watoto (Sw)	kinderen
wayomba (Sw)	spotnaam voor Tutsi-rebellen, letterlijk betekent de naam 'ooms'. Het woord wordt negatief gebruikt door Congolezen omdat Tutsi-rebellen hun jonge meisjes zouden ontmaagden
wazungu (Sw)	blanken
Yesu (Sw)	Jezus
'You are my girl, forever' (En)	'Je bent mijn meisje/vriendin, voor eeuwig' (zin uit een liedje dat veel in taxibusjes en bars in Goma wordt gedraaid)
'You are my best choice' (En)	'Je bent mijn beste keus'

Liedteksten

Le Seigneur m'aime, bonheur suprême :
Le Seigneur m'aime, Il est amour !
De Heer houdt van me, opperste geluk.
De Heer houdt van me, Hij is liefde!

Dans la souffrance – sans espérance,
dans la souffrance – je gémissais.
Je redirai toujours:
Le Seigneur m'aime, Il est amour!
In het lijden – zonder hoop,
in het lijden – kermde ik.
Ik zal altijd herhalen:
De Heer houdt van me, Hij is liefde!

Il purifie – toute ma vie
Il purifie – avec son sang.
Hij reinigt – mijn hele leven
Hij reinigt – met zijn bloed.

Prosternons-nous,
humilions-nous.
Fléchissons les genoux
devant l'Eternel,
notre Créateur!
Laten we ons buigen,
ons verootmoedigen.

Laten we de knieën buigen
voor de Heer,
onze Schepper!

Dans le secret de nos tendresses – Tu es là.
Dans les matins de nos tristesses – Tu es là.
In het verborgene van onze liefkozingen – bent U er.
In de ochtenden van onze somberheid – bent U er.

Tu es là au cœur de nos vies
et c'est Toi qui nous fais vivre.
Tu es là au cœur de nos vies,
bien vivant, o Jésus-Christ.
U bent er in de kern van ons bestaan
en U bent het die ons doet leven.
U bent er in de kern van ons bestaan,
levende Jezus Christus.

Au plein milieu de nos tempêtes – Tu es là.
Dans la musique de nos fêtes – Tu es là.
Midden in onze stormen – bent U er.
In onze feestmuziek– bent U er.

A toi la gloire, o Ressuscité!
A toi la victoire – pour éternité!
U zij de glorie, opgestane Heer!
U zij de victorie, voor eeuwig!

Il est ma victoire, mon puissant soutien,
Ma vie et ma gloire: Non, je ne crains rien.
Hij is mijn overwinning, mijn grote steun,
Mijn leven en mijn eer: Nee, ik vrees niets.

Dankwoord

Het grootste deel van deze roman is in DR Congo geschreven. Tal van mensen hebben me geholpen. Zij gaven mij toegang tot hun families, nodigden me uit voor bijeenkomsten en maaltijden, en wilden hun mooie, verdrietige maar vooral ontroerende levensverhalen met me delen. Een aantal wil ik persoonlijk bedanken.

- Charles Barhama, een van de ZOA-bewakers die mij lessen Swahili gaf en altijd voor me klaarstond. Wist hij geen antwoord op mijn vragen, dan vroeg hij het aan vrienden, familie of zelfs aan de burgemeester van Goma.
- De ZOA-staf van Goma. Vooral Marie Muhemedi hielp mij aan informatie en bracht me in contact met de lokale bevolking.
- Sara N., die mij het meest inspireerde dit verhaal te schrijven.
- Clovis, Sara's broer, die mij wegwijs maakte in Goma en me hielp een netwerk op te bouwen.
- Kavira Nganza, hoofd van de vrouwenafdeling van de CBCA, een groepering van baptistengemeenten in Congo. 'Mama Kavira' gaf mij adviezen toen ik vastliep in het schrijven.
- Paluku Habamungu, dokter van *Centre Uhakika*, en Faida

Chimana, zijn vrouw, die in het centrum verloskundige is.

- Het medisch team van *Centre Uhakika*, van wie ik toestemming kreeg om bevallingen bij te wonen.
- Masika G., de vrouw die me inwijdde in huwelijksgeheimen en daar uit eigen ervaring over kon praten. Zij vertelde me over haar droom om weer herenigd te worden met haar kinderen. Haar man had hen meegenomen nadat hij haar had verstoten. Masika is het ook geweest die mij uitleg gaf over gebruiken rond feesten en ceremonies.
- Maskal Louise, de chronisch zieke moeder van mijn hulp Mariana, die verhalen vertelde over haar zangkunst in de tijd dat ze jong en gezond was.
- Devote en Marie, die mij in contact brachten met slachtoffers van seksueel geweld in ziekenhuis *Kyeshero* in Goma.
- Donata, het meisje dat verschillende operaties aan haar vagina onderging nadat ze door vijf soldaten verkracht was, en mij deelgenoot maakte van deze zwarte periode.
- Bienveillant, die me inspireerde met zijn levenslust en gitaarmuziek tijdens veldbezoeken in Baraka (een dorpje in Zuid-Kivu).
- Aimée M., een eigenzinnige vrouw die me wilde vertellen over haar huwelijk met een ontrouwe echtgenoot.
- De zeventienjarige Balome, die mij, ondanks haar pijn en verdriet over haar verkrachting, aan het lachen maakte door naar de letters op haar T-shirt te wijzen. 'You are my best choice!'
- En alle andere Congolese vrouwen en mannen, meisjes en jongens (van brommerrijders en straatkinderen tot dominees, artsen en zakenvrouwen) die met me wilden praten.

Verder dank ik:

- Beppie de Rooy, die me aanmoedigde en in dit verhaal geloofde.
- Neeltje Rietveld, de redacteur die elke schrijver zich zou wensen. Dank voor je hulp ook in de laatste fase, toen je besloot mij te helpen met het herschrijven van het voorwoord.
- Alette van Meijeren en Marieke de Vries. Zonder jullie was ik te veel gaan dromen.
- Jan Huls, landendirecteur van ZOA-Congo, die wilde meedenken met de beschrijving van de situatie in Oost-Congo.
- Connie Smith, Marie Muhemedi, Safari Kakule Maliro en Charles Barhama die woorden in het Swahili, Kihavu en Frans controleerden.
- Matt Carlquist, Nancy Herbster, Justine Nola, Anna Chilvers, Connie Smith, Ruth LePage, Sylvain en Sara Bertrand, Marjo en Jan Huls, Tom en Kate Heath. Ik mis jullie!
- Familie en vrienden in Nederland die met ons meeleefden in de periode dat we in Congo woonden, maar ook tijdens en na onze evacuatie naar Rwanda.
- Andreas, mijn maatje en supporter bij uitstek.

Deze roman is onder wisselende omstandigheden geschreven. Soms schreef ik weken met een vluchttas naast mijn bureau en hoorde ik artillerievuur op de achtergrond. Op andere dagen was de dreiging veel minder aanwezig. Ik dank God voor de bescherming en inspiratie. *A Toi la gloire.*

Februari 2014, Marieke Luiten

Brett Michael Innes
Kleine Rachel

1895, Zuid-Afrika. Na een grote tragedie besluit Herman de Beer zich samen met zijn twee zoons en dochtertje Rachel aan te sluiten bij een Boerenkonvooi. Op de boerderij van de familie Lundeth wachten ze noodgedwongen de komst van de winter af. Rachels gezondheid is slecht, en de spanningen in het gezin lopen steeds verder op. Dan neemt vader Herman een besluit dat rampzalige gevolgen heeft.

Een inspirerend verhaal over moed en onbaatzuchtige liefde, tegen de achtergrond van de onherbergzame Zuid-Afrikaanse wildernis. In de loop der jaren groeide het uit tot een legende die onder de Boeren van Zuid-Afrika van generatie op generatie wordt doorverteld.

Brett Michael Innes is een Zuid-Afrikaans filmproducer. Hij schreef ook het script voor de verfilming van deze roman. De verfilming vindt momenteel plaats.

'Een onvergetelijk verhaal, bekend bij elke Afrikaner.' – Irma Joubert

'Kleine Rachel is voor Zuid-Afrika wat Anne Frank is voor Nederland.' – Louis Krüger, auteur

ISBN 978 90 239 9448 0
288 blz.

Mariël le Roux
Sterretje

Het waargebeurde verhaal van een meisje dat de jappenkampen overleefde

Will van Halewijn is acht jaar als zij met haar moeder en zusjes naar Roemenië verhuist. Haar vader heeft daar ondanks de crisis werk gevonden op een scheepswerf. Dan breekt de oorlog uit. Will, haar twee zusjes en haar ouders vluchten naar Java. Maar al gauw bezetten de Japanners het eiland, en worden alle Nederlandse kinderen en vrouwen bij elkaar gestopt in een concentratiekamp.
Terwijl de jappen rondmarcheren met hun steekgeweren, verlangt Will hevig naar haar vader, die haar altijd Ster noemde en zo trots op haar was.
In een strijd die hun bevattingsvermogen ver te boven gaat doen Will en haar lotgenoten alles om staande te blijven.
De sterke moraal te midden van veel ellende, maar ook de ondernemingslust en kracht van de vrouwen maken het tot een onvergetelijk boek.

Mariël le Roux was verpleegkundige. Sterretje is haar debuut, zowel in Nederland als in Zuid-Afrika. Met haar tweede roman Die Naamlose won ze in Zuid-Afrika een literaire prijs.

'Een boek dat ik niet meer wil wegleggen alvorens het uitgelezen te hebben, maar dat ik na iedere vier of vijf bladzijden wel móet wegleggen omdat het mij anders te veel aangrijpt.' – *Een lezer met een vergelijkbaar kampverleden*

ISBN 978 90 239 9390 2
340 blz.